KB096211

# 회복탄력의 신세계

## 장선영

# 회복탄력의 신세계

| 발행 | \| | 2024년 3월 31일 |
| 저자 | \| | 장선영 |
| 디자인 | \| | 어비, 미드저니 |
| 편집 | \| | 어비 |
| 펴낸이 | \| | 송태민 |
| 펴낸곳 | \| | 열린 인공지능 |
| 등록 | \| | 2023.03.09(제2023-16호) |
| 주소 | \| | 서울특별시 영등포구 영등포로 112 |
| 전화 | \| | (0505)044-0088 |
| 이메일 | \| | book@uhbee.net |

ISBN | 979-11-93116-72-2

www.OpenAIBooks.shop

# 회복탄력의 신세계

## 장선영

# 목차

마치며

# 머리말

우리 모두는 각자의 삶 속에서 다양한 도전과 시련을 마주합니다. 특히 예민한 사람들은 감정의 파도가 때로는 너무나도 거칠고 혼란스러울 수 있습니다.

하지만, 이 책 "회복탄력의 신세계: 매일 새로운 내가 되는 연습"은 바로 그런 사람들을 위한 안내서입니다. 이 책에서는 66일 동안의 명상 습관을 통해 예민한 마음이 더 강하고, 유연하며, 탄력적으로 변화하는 과정을 소개합니다.

이 책은 단순한 명상 가이드가 아닙니다. 이는 마음의 깊은 곳으로 여행을 떠나, 자신을 새롭게 발견하고, 이해하며, 변화시키는 여정입니다. 예민한 감정과 생각이 우리에게 가져다 주는 통찰과 깨달음은 때로는 삶의 가장 귀중한 선물이 될 수 있습니다. 이 책은 그러한 감정들을 어떻게 긍정적인 힘으로 전환시킬 수 있는지를 탐구합니다.

66일간의 여정은 각자의 속도와 방식으로 진행됩니다. 매일 조금씩, 단계별로 마음을 탐색하고, 감정을 이해하며, 내면의 평화를 찾아갑니다.

이 과정을 통해, 독자는 자신만의 회복탄력성을 발견하고, 예민함이라는 특성을 강점으로 변화시킬 수 있게 됩니다.

이 책은 당신이 감정의 파도를 헤쳐 나가면서도 균형을 잃지 않도록 도와줄 것입니다. 감정의 깊은 바다를 항해하며, 때로는 거센 파도와 마주하겠지만, 그 과정 속에서 당신은 더 강한 자신을 만날 것입니다. 그리고 마침내, 마음의 새로운 신세계, 즉 더욱 탄력적이고 평화로운 내면의 공간을 발견하게 될 것입니다.

"회복탄력의 신세계"는 당신이 예민함과 생각의 무게를 안고 살아가는 동안, 그것을 당신의 힘으로 바꾸는 데 필요한 도구와 지혜를 제공합니다. 이 책이 당신의 여정에 영감을 불어넣고, 매일 조금씩 더 나은 자신으로 거듭날 수 있도록 도와줄 것입니다.

# 저자 소개

저자 장선영은 15년 동안 세일즈 분야에서 다양한 경험을 쌓은 후, 현재는 인공지능을 공부하고 있습니다..

인공지능 연구를 통해 인간 잠재의식의 무한한 가능성을 탐구하고 있으며, 이러한 지식을 자신의 저작과 연구에 접목시키고 있습니다. 예민한 성격을 명상을 통해 치유해 온 경험은, 개인적인 삶 뿐만 아니라 전문적인 분야에서도 중요한 통찰을 발견했습니다.

제 자신의 경험과 지식을 바탕으로, 다른 이들에게도 영감과 도움을 줄 수 있는 콘텐츠를 제작하고 있습니다.

저서로는 '이도저도 안될 때 하는 미라클 명상 가이드'(2022)와 '투웬티 파이버스'(공저,2022)가 있으며, 이 책들은 독자들에게 명상을 통한 자기 발견과 성장의 길을 안내하고 있습니다.

이 책을 통해 명상이 갖는 깊은 가치와 잠재력을 탐색하고, 독자들이 자신의 내면 깊은 곳에 숨겨진 무한한 가능성을 발견할 수 있도록 돕고자 합니다.

# 1일차. 새로운 시작

"여러분의 생각에는 광활한 바다를 항해할 수 있는 힘이 있습니다. 여러분은 자신의 생각에 긍정과 힘의 날개를 달아주고 있나요?

◇ **명상 포커스**

새로운 시작을 받아들이는 마음의 평화와 긍정적을 의식적으로 훈련합니다.

◇ **명상 연습**

편안한 공간 찾기: 일상의 분주함을 떠나 조용하고 안정감 있는 공간으로 자리를 옮깁니다.

이곳이 바로 당신만의 휴식처이며, 여기서는 외부의 소음이나 방해가 없습니다.

편안한 자세로 앉거나 누우세요. 몸에 힘이 빠지면서 등은 곧게 유지합니다

호흡에 집중하기: 눈을 감고, 깊고 긴 호흡을 시작합니다. 천천히 코로 숨을 들이마시면서, 공기가 폐를 채우고 가슴이 부풀어 오르는 것을 상상합니다. 호흡을 멈추고 잠시 그 순간을 느낀 뒤, 입을 통해 천천히 숨을 내쉽니다. 숨을 내쉴 때, 몸 안의 긴장과 스트레스가 사라지는 것을 느낍니다.

일출의 기운 느끼기: 다시 숨을 들이마시면서, 이번에는 마음속에 일출을 그려봅니다. 따스한 햇살이 전신을 감싸 안는 것을 상상하며, 그 기운이 정신과 에너지를 새롭게 만들어준다고 느낍니다. 이러한 긍정적인 에너지가 당신의 몸 안을 가득 채우고 있음을 상상하며, 모든 세포가 활력을 얻는 것을 느껴봅니

다.

호흡하며 집중하기: 이 과정을 10분에서 15분 정도 지속하면서, 마음이 다른 생각으로 흘러가려 할 때마다 편안한 호흡으로 다시 집중력을 되찾으세요.

호흡은 항상 당신을 현재에 묶어주고 중심을 잡아주는 끈입니다. 이러한 연습을 통해, 당신은 일상의 스트레스에서 벗어나 내면의 평화를 찾을 수 있을 것입니다.

오늘부터 편안하고 조용한 공간을 찾는 것부터 시작하세요.

◇ **내면 탐색 질문:**
- 오늘 어떤 새로운 시작을 받아들이고 있나요?
- 명상하는 동안 여러분의 마음을 스쳐 지나간 생각들을 떠올려 보세요.

어떤 생각이 평화로움이나 긍정적인 느낌을 주었나요?
- 일출의 따뜻함과 평온함을 하루 종일 어떻게 간직할 수 있을까요?

# 2일차. 호흡과 함께하는 여정

"숨을 쉴 때마다 숲의 생명력이 자신의 생명력과 공생하는 것을 느껴보세요. 숲의 맑고 깨끗한 에너지를 깊이 들이마시고, 부정적인 에너지를 숨을 내쉬면서 천천히 내쉬세요."

◇ 명상 포커스

숲의 생명력을 느끼고 호흡을 통한 자연과의 교감에 집중합니다.

## ◇ 명상 연습

편안한 장소 찾기: 시작하기 전, 조용하고 방해받지 않는 장소를 찾아 편안한 자세로 앉거나 눕습니다. 이곳은 당신이 마음을 가다듬고 내면의 목소리에 집중할 수 있는 특별한 공간입니다. 부드럽게 눈을 감고, 자연의 소리와 나무의 존재감을 느끼며 몸과 마음이 하나되는 순간을 찾습니다.

자연과의 연결: 깊은 호흡을 하면서, 숲속에 있는 나무와 같이 단단하고 우뚝 서 있는 자신을 상상합니다. 숨을 들이마실 때는 숲속의 신선한 공기가 폐를 채우며, 숲의 생명력과 에너지가 당신 안으로 들어와 정신을 맑게 하고 몸에 활력을 주는 것을 느낍니다.

긴장과 스트레스 해소: 숨을 천천히 내쉬면서, 모든 긴장과 스트레스가 낙엽처럼 몸에서 떨어져 나와 대지로 돌아가는 것을 상상합니다. 이렇게 숨을 내쉴 때마다 몸과 마음이 더욱 가벼워지고 편안해집니다.

에너지 순환: 숨쉬는 동안 이 호흡의 순환을 지속하며, 자신이 숲속의 나무로서 주변 자연과 완벽하게 조화를 이루고 연결되어 있음을 느낍니다. 이 연결감은 당신에게 평온함을 주고, 내면의 힘을 발휘할 수 있는 기반을 마련합니다.

현재에 집중하기: 이 과정을 10~15분간 지속하면서, 주변 환경에 대한 감사함을 느끼고, 자연이 주는 치유와 에너지에 집중하세요. 마음이 다른 곳으로 흘러가려 할 때는 이 상상을 통해 다시 현재에 집중하고 내면의 평화를 찾아가세요.

◇ **내면 탐색 질문**

- 이 숲 명상을 하는 동안 어떤 감각이 느껴졌나요?.
- 호흡하는 동안 숲의 어떤 측면과 가장 많이 연결되었나요?

- 일상에서 스트레스를 받는 순간에 숲의 이미지가 어떻게 도움이 되나요?

# 3일차. 현재의 순간을 포용하기

"지금 이 순간의 고요함 속에서 진정한 나 자신이 될 수 있는 공간을 찾아보세요.

물이 하늘을 반영하듯 마음도 지금의 아름다움을 반영합니다."

◇ 명상 포커스

호흡에 주의를 기울이며 현재의 순간에 몰입합니다.

## ◇ 명상 연습

편안한 자리 잡기: 평온한 공간에서 안정된 자세를 취합니다. 이상적인 장소는 소음이 없고, 일상의 요동이 느껴지지 않는 곳입니다. 몸을 편안하게 하고, 눈을 부드럽게 감으세요. 의자에 앉거나, 바닥에 평평하게 누워도 좋습니다. 자세는 자연스럽게 유지하면서도 몸의 중심을 잘 잡아주세요.

현재에 집중: 눈을 감고 현재 순간에 주의를 기울이기 시작합니다. 몸 아래에서 느껴지는 접촉감과 주변의 공기가 피부에 닿는 느낌에 집중합니다. 주변에서 들려오는 소리들을 판단하지 않고 그대로 받아들이면서, 현재와 조화를 이루는 연습을 합니다.

호흡 관찰: 호흡에 집중합니다. 숨을 들이쉴 때 폐가 공기로 채워지는 것을, 숨을 내쉴 때는 그 공기가 다시 나가는 것을 관찰합니다. 호흡을 조절하려 하지 말고, 자연스럽게 이루어지는 호흡의 리듬에 몸을 맡깁니다.

정신의 집중: 마음이 다른 곳으로 흘러가려 할 때, 부드럽게 다시 호흡에 집중합니다. 숨을 쉴 때마다 시간이 느려지는 것처럼, 현재 순간에 완전히 몰입하도록 합니다. 이렇게 호흡을 통해 마음을 다스리며, 일상의 번잡함에서 벗어나 온전한 휴식을 경험합니다.

현재에 집중하기: 이러한 과정을 10분에서 15분 정도 반복하면서, 호흡을 통해 자연스럽게 명상의 깊이에 이르게 합니다. 이 시간 동안 당신은 오직 자신과 현재에 집중할 수 있는 특별한 기회를 가집니다.

◇ **내면 탐색 질문**

- 평소에는 간과했던 주변 환경의 어떤 점을 발견했나요?
- 현재 순간에 온전히 몰입했을 때 어떤 느낌이 들었나요?
- 어떤 방식으로 일상 활동에 현재 순간에 대한 인식을 더 높일 수 있을까요?

# 4일차. 내면의 힘을 끌어안기

"나무의 깊은 뿌리처럼 우리 내면의 힘은 인생의 변화무쌍한 바람에도 흔들림 없이 우리를 지탱해 줍니다. 자신을 믿고 내면의 강인한 힘을 활용하세요."

## ◇ 명상 포커스

내면의 힘을 발견하고 키웁니다.

## ◇ 명상 연습

편안한 공간 찾기: 안정감을 느낄 수 있는 조용한 공간을 선택하세요. 의자나 바닥에 등을 곧게 펴고 편안한 자세로 앉되 경직되지 않도록 합니다.

접지 시각화: 눈을 감고 심호흡을 몇 번 합니다. 자신을 나무로 상상합니다. 발이나 바닥이 땅속 깊이 뻗어 있는 뿌리로 자신을 지탱하고 있다고 상상합니다. 이 뿌리의 힘과 지지를 느껴보세요.

대지로부터 힘을 끌어내세요: 숨을 쉴 때마다 뿌리를 통해 대지로부터 힘과 에너지를 끌어낸다고 상상하세요. 이 에너지가 당신을 안정시키고 힘을 주는 것을 느껴보세요.

긴장 완화하기: 숨을 내쉴 때 스트레스, 두려움, 부정적 감정이 몸 밖으로 흘러나와 대지에 흡수되는 것을 상상하세요. 숨을 내쉴 때마다 몸이 더 가볍고 탄력적으로 느껴집니다.

집중력 유지하기: 마음이 방황할 때마다 대지로부터 힘을 얻는다는 느낌으로 부드럽게 집중력을 되찾으세요. 10~15분간 계속합니다.

## ◇ 내면 탐색 질문

• 내면의 힘이 자신에게 어떤 의미인지, 시각화를 하는 동안 어떤 느낌을 받았는지 생각해 보세요.

• 새롭게 발견한 강인함을 적용할 수 있는 상황을 찾아보세요.

• 매일 내면의 힘을 키우고 성장시킬 수 있는 방법에 대해 적어 보세요.

# 5일차. 놓아주기

"강물처럼 걱정은 흘러가고 긴장은 사라지고 평온함과 명료함의 길을 가는 것을 상상 하세요."

## ◇ 명상 포커스

긴장과 걱정을 풀고 삶의 흐름을 받아들이는 법을 배웁니다.

## ◇ 명상 연습

편안함 찾기: 조용하고 편안한 공간에 자리를 잡습니다. 편안하지만 주의 깊은 자세로 앉거나 누워도 좋습니다.

이완 및 호흡: 눈을 감고 심호흡을 여러 번 합니다. 숨을 내쉴 때마다 발가락부터 머리까지 의식적으로 몸의 여러 부위를 이완합니다.

강을 시각화 합니다: 잔잔하게 흐르는 강물을 상상해 보세요.

걱정, 스트레스, 긴장이 강물에 떠내려가는 나뭇잎이나 작은 나뭇가지가 되어 강물에 떠내려간다고 상상하세요.

긴장을 풀어보세요: 숨을 내쉴 때마다 걱정이 강물에 부드럽게 떠내려가는 것을 시각화하세요. 걱정거리가 강물에 휩쓸려 멀리 떠내려가는 것을 느끼며 마음이 한결 가벼워지고 평화로워지는 것을 느껴보세요.

산만할 때 돌아오기: 마음이 방황하거나 특정 걱정거리에 집착하는 경우, 이를 부드럽게 인정한 다음 강을 시각화 하는 것으로 돌아갑니다.

연습 마무리하기: 10~15분 후 또는 준비가 되었다고 느끼면 부드럽게 호흡에 주의를 기울인 다음 주변 환경에 다시 집중합니다. 편해지면 눈을 뜨세요.

## ◇ 내면 탐색 질문

- 걱정이 강물과 함께 흘러가 버린 기분을 묘사하세요.
- 놓아주기 어려웠던 구체적인 긴장감이나 생각이 있는지 알아보세요.
- 내려놓는 연습이 일상 생활에서 어떻게 적용될 수 있을지 생각해 보세요

# 6일차. 인내심 키우기

"인내란 내가 생각한 것과는 다른 순서로 일이 일어날 수 있다는 것을 차분하게 받아들이는 것입니다. 자연의 속도를 받아들이고 인내심을 키웁니다."

◇ **명상 포커스**

인생의 여정에서 인내의 미덕을 받아들입니다.

◇ **명상 연습**

나만의 공간 찾기: 방해받지 않고 앉을 수 있는 평화로운 장소를 선택합니다. 편안하게 앉은 자세를 취합니다.

호흡과 알아차리기: 눈을 부드럽게 감고 호흡에 집중하기 시작합니다. 호흡을 바꾸려고 하지 말고 자연스러운 호흡의 리듬을 관찰하세요.

일출 시각화하기: 일출의 빛이 천천히 풍경에 퍼져 나가는 모습을 상상해 보세요. 천천히 심호흡을 할 때마다 태양이 조금씩 더 떠오르면서 경로에 있는 모든 것을 서서히 비추는 모습을 시각화하세요.

인내심을 품으세요: 태양의 인내심과 서두르지 않는 태양의 모습을 떠올려 보세요. 이 이미지를 서두르거나 조급함을 느끼는 자신의 생활 상황에 적용해 보세요.

조급함 다루기: 생각이 방황하거나 조급한 마음이 들 때마다 느리고 안정된 일출로 부드럽게 초점을 돌려보세요. 이 순간에 자신에게 친절하세요.

감사로 마무리하기: 약 10~15분 후 또는 평온함이 느껴지면 천천히 주변 환경으로 의식을 되돌립니다. 자신에게 주어진 이 시간에 대해 감사하는 마음으로 눈을 뜨세요.

일출의 시각화가 인내심을 키우는 데 어떻게 도움이 되었는지 설명하세요.

생활에서 인내심을 더 발휘할 수 있는 부분을 찾아보세요.

오늘 인내심이 자신의 기분과 상호작용에 어떤 영향을 미쳤는지 생각해 보세요.

# 7일차. 균형 찾기

"균형은 발견하는 것이 아니라 창조하는 것입니다. 조화 속에 힘과 평화가 있습니다.

## ◇ 명상 포커스

삶의 균형을 발견하고 유지합니다.

## ◇ 명상 연습

공간 준비하기: 방해받지 않고 앉을 수 있는 조용하고 편안한 장소를 찾습니다. 허리를 곧게 펴고 편안하게 앉습니다.

호흡을 집중합니다: 몇 번의 심호흡으로 시작합니다. 숨을 들이마시면서 삶의 균형을 되찾는 모습을 상상합니다. 숨을 내쉴 때 불균형이나 부조화를 모두 놓아버리세요.

균형 시각화하기: 마음속으로 저울이나 균형 잡힌 돌 세트를 상상합니다. 숨을 들이쉬고 내쉴 때마다 저울이 안정적이고 고르게 유지되는 것을 확인합니다.

삶의 균형에 대해 생각해 보기: 삶의 균형이 잡혀 있다고 느끼는 부분과 그렇지 않은 부분에 대해 생각해 보세요. 이 두 가지 측면이 돌멩이처럼 조화로운 균형을 이룬다고 상상해 보세요.

집중력 유지하기: 마음이 방황하기 시작하면 균형 잡힌 돌의 이미지와 호흡에 부드럽게 주의를 다시 집중하세요.

신중하게 마무리하기: 약 10~15분 후 부드럽게 눈을 뜨고 균형 감각을 하루의 나머지 시간으로 가져갑니다.

## ◇ 내면 탐색 질문

- 명상하는 동안 균형의 시각화가 어떻게 느껴졌는지 설명하세요.

- 생활에서 더 많은 균형을 추구하는 영역을 찾아보세요.
- 일상에서 어떻게 하면 더 많은 균형을 만들 수 있을지 생각해 보세요.

# 8일차. 자기 발견의 여정

"자아 발견을 향한 여정은 나 자신만이 걸을 수 있는 길이지만, 그 과정에서 진정한 본질을 밝혀주는 자신의 일부를 발견하게 될 것입니다."

## ◇ 명상 포커스

자신에 대해 더 많이 알아가기 위한 내면을 들여다보고 탐색합니다.

## ◇ 명상 연습

환경 설정하기: 방해받지 않고 명상할 수 있는 조용한 장소를 선택하세요. 편안한 자세로 앉아 눈을 감습니다.

알아차림을 위한 호흡: 호흡에 집중하는 것으로 시작하세요. 숨을 들이쉬고 내쉴 때마다 현재에 더욱 집중하고 내면의 자아를 알아차립니다.

길 시각화하기: 숲길을 걷고 있다고 상상해 보세요. 한 걸음 한 걸음 내딛을 때마다 자신의 마음과 내면을 더 깊이 들여다보는 상상을 해보세요.

여정을 따라 자기 성찰하기: 걸으면서 자신의 희망, 꿈, 두려움, 가치관에 대해 생각해 보세요. 이러한 각 측면을 판단하지 않고 여정의 일부로 관찰하면서 인정하세요.

현재로 돌아오기: 준비가 되면 내면의 여정에서 얻은 통찰력을 유지하면서 현재로 부드럽게 인식을 되돌립니다.

현재 자신과 연결하기:: 눈을 뜨기 전에 심호흡을 몇 번 더 하고, 내면의 자아가 현재의 자신과 연결되어 있다는 것을 느낍니다.

## ◇ 내면 탐색 질문

• 성찰의 여정에서 무엇을 발견하거나 생각했는지 적어 보세요.

- 자신에 대해 새롭게 알게 된 사실이 있는지 확인합니다.
- 이러한 깨달음이 일상 생활이나 미래의 결정에 어떤 영향을 미칠지 생각해 보세요.

# 9일차. 감사의 마음 기르기

"감사는 영혼에서 솟아나는 가장 아름다운 꽃이며, 작은 것에도 감사하는 마음은 삶의 진정한 기쁨을 알게 할 것입니다."

◇ **명상 포커스**

감사하는 마음을 길러 삶의 기쁨을 증진하세요.

◇ **명상 연습**

명상을 위한 준비: 조용하고 편안한 장소를 찾습니다. 편안한 자세로 앉아 눈을 감고 심호흡을 몇 번 하여 마음의 중심을 잡으세요.

감사하는 마음으로 호흡하기: 숨을 들이마시면서 숨 쉬는 공기처럼 단순한 것부터 기쁨을 주는 관계처럼 복잡한 것까지 감사한 것을 떠올려 보세요. 숨을 내쉴 때 감사한 마음을 세상으로 내보낸다고 상상해 보세요.

감사 확장하기: 계속해서 심호흡을 하고 숨을 쉴 때마다 감사하는 마음이 커지도록 하세요. 감사한 모든 것이 내 안에 빛이 되어 숨을 쉴 때마다 더 밝아진다고 상상하세요.

기쁨에 대한 성찰: 감사에 집중하는 것이 기분에 어떤 영향을 미치는지 알아보세요. 가벼움, 따뜻함, 기쁨이 느껴지나요? 이런 감정이 떠오를 때 그 감정을 포용하세요.

부드럽게 돌아가기: 준비가 되었다고 느끼면 부드럽게 현재 순간으로 의식을 되돌립니다. 잠시 시간을 내어 지금까지 쌓아온 평화로운 상태에 감사하세요.

명상 마무리하기: 마음이 평온하고 상쾌해졌을 때 눈을 뜨고 감사하는 마음을 가져갑니다.

◇ **내면 탐색 질문**

• 이 명상 중에 느낀 기쁨과 감사한 감정을 적어보세요.

• 감사하는 태도가 일상을 바라보는 관점을 어떻게 바꿀 수 있는지 생각해 보세요.

• 다른 사람들과의 상호작용에서 감사를 표현할 수 있는 방법을 찾아보세요.

# 10일차. 내면의 평화 탐구하기

"내면의 평화는 고요한 저녁 하늘이 잔잔한 바다에 비치는 것입니다. 바쁜 마음의 표면 아래에 항상 존재합니다."

◇ 명상 포커스

내면의 평화를 찾기 위해 마음 속 깊은 곳을 들여다보세요.

◇ 명상 연습

환경 설정하기: 편안하고 조용한 장소를 선택하세요. 편안한 자세로 앉아 눈을 감고 심호흡을 몇 차례 깊고 차분하게 하는 것으로 시작하세요.

평화를 초대합니다: 숨을 들이마시면서 몸과 마음에 평화가 깃든다고 상상하세요. 숨을 내쉴 때마다 긴장이나 불안감을 떨쳐버리세요.

고요한 호수 시각화하기: 잔잔하고 고요한 호수를 마음속으로 그려보세요. 고요한 호수가 하늘에 어떻게 반사되는지 상상해 보세요. 이 호수는 평화를 위한 자신의 능력에 대한 은유입니다.

평화의 감각 심화하기: 숨을 쉴 때마다 잔잔한 호수에서 돌이 부드럽게 가라앉는 것처럼 평온 속으로 깊숙이 가라앉는 자신을 느껴보세요. 이 평화의 느낌이 내 존재의 모든 부분에 스며들게 하세요.

시각화 유지: 생각이 떠돌기 시작하면 잔잔한 호수의 이미지와 고요하고 안정된 호흡으로 주의를 부드럽게 되돌려 보세요.

부드럽게 떠오르기: 준비가 되었다고 느끼면 천천히 주변 환경으로 주의를 환기하세요. 내면의 평화를 느끼며 눈을 뜨세요.

## ◇ 내면 탐색 질문

- 명상하는 동안 경험한 감각과 생각을 되돌아봅니다.
- 이 내면의 평화감이 여러분의 전망과 감정에 어떤 영향을 미쳤나요?
- 일상에서 스트레스가 많은 상황에서 이러한 평화감에 접근할 수 있는 방법을 찾아보세요.

# 11일차. 도전과제 극복하기

"도전은 산과 같아서 노력과 끈기를 요구합니다. 하지만 정상에서 바라보는 경치는 한 걸음 한 걸음의 가치가 있습니다."

## ◇ 명상 포커스

회복탄력성과 삶의 도전에 직면하고 극복할 수 있는 능력을 개발합니다.

## ◇ 명상 연습

명상 준비하기: 조용하고 편안한 공간을 찾습니다. 허리를 곧게 펴고 양손을 무릎에 가볍게 얹고 앉습니다.

회복력에 집중하기: 눈을 감고 심호흡을 하며 생각의 중심에 집중하세요. 숨을 쉴 때마다 힘과 회복력을 키우세요.

도전 과제 시각화하기: 인생의 어려움을 상징하는 산을 상상해 보세요. 이 산을 한 걸음 한 걸음 천천히 오르며 도중에 장애물을 극복하는 자신을 상상해 보세요.

장애물 극복하기: 각 장애물에 직면할 때마다 이를 헤쳐 나가거나 극복하는 방법을 찾는 자신을 상상해 보세요. 한 걸음 한 걸음 성공할 때마다 성취감을 느껴보세요.

정상에 도달하기: 산 정상에 도달한 자신의 모습을 상상해 보세요. 잠시 시간을 내어 경치를 감상하고 성취감을 느껴보세요.

현재로 돌아오기: 부드럽게 방으로 다시 집중하세요. 준비가 되면 눈을 뜨고 인생의 도전에 맞설 수 있는 힘을 얻었다고 느껴보세요.

## ◇ 내면 탐색 질문

• 어려움을 극복하는 모습을 상상하면서 느꼈던 감정과 생각을 떠올려 보세요.

- 최근의 어려움을 파악하고 명상에서 배운 내용을 어떻게 적용할 수 있을지 생각해 보세요.
- 일상 생활에서 회복탄력성을 강화할 수 있는 방법을 생각해 보세요.

# 12일차. **자비심 기르기**

"연민은 타인의 아픔에 귀 기울이고, 그 마음을 헤아리는 것에서 시작됩니다. 작은 친절과 이해가 서로에게 줄 수 있는 가장 부드러운 위로입니다. "

## ◇ 명상 포커스

자신과 타인에 대한 연민을 키웁니다.

## ◇ 명상 연습

편안한 공간 찾기: 방해받지 않는 조용한 장소에 앉습니다. 편안한지 확인한 다음 눈을 감습니다.

연민의 호흡: 깊고 느린 호흡으로 시작하세요. 숨을 들이마실 때마다 친절과 따뜻함을 끌어당긴다고 상상하세요. 숨을 내쉴 때마다 모든 판단이나 가혹함을 내려놓는다고 생각하세요.

마음 중심 시각화: 마음속에 자비심을 상징하는 작은 빛을 떠올려 보세요. 숨을 쉴 때마다 이 빛이 커져 가슴과 온몸을 따뜻하고 사랑스러운 에너지로 가득 채우는 것을 상상하세요.

자비심 확장하기: 이 자비로운 에너지가 처음에는 사랑하는 사람에게, 그 다음에는 지인에게, 그리고 결국에는 모든 존재에게 뻗어 나가는 것을 상상하세요. 이 에너지가 다른 사람에게 손을 뻗어 닿는 따뜻한 배려의 부드러운 물결로 시각화하세요.

인류애 포용하기: 기쁨, 슬픔, 고난, 승리 등 인간이라면 공통적으로 느끼는 감정과 경험에 대해 생각해 보세요. 모든 사람에 대한 연결감과 연민을 느껴보세요.

부드럽게 돌아가기: 명상이 끝났다고 느끼면 현재에 다시 집중하세요. 확장된 연민을 느끼며 눈을 뜨세요.

## ◇ 내면 탐색 질문

- 명상하는 동안 자비심을 발산하는 기분이 어땠는지 묘사하세요.

- 생활 속에서 이 연민을 적용할 수 있는 상황을 떠올려 보세요.

- 연민을 키우는 것이 일상적인 상호작용에 대한 관점을 어떻게 바꿀 수 있는지 생각해 보세요.

# 13일차. 변화를 수용하기

"변화는 끊임없고 아름다운 자연의 춤입니다. 변화를 성장과 쇄신의 기회로 받아들이세요."

## ◇ 명상 포커스

변화를 자연스럽고 풍요로운 삶의 일부로 받아들이고 적응합니다.

## ◇ 명상 연습

중심 잡기 및 접지하기: 조용한 공간에서 시작하세요.

호흡에 집중하여 현재에 집중할 수 있도록 합니다.

변화에 대한 성찰: 최근의 삶의 변화를 생각하며 각 변화를 판단 없이 인정합니다.

적응력 시각화하기: 변화의 계절마다 자연스럽게 적응하는 자연의 일부인 자신을 상상해 보세요.

성장 수용하기: 숨을 쉴 때마다 나무처럼 변화를 통해 성장하고 진화하는 자신을 느껴보세요.

수용력 키우기: 변화의 한가운데서 받아들이고 번성할 수 있는 자신의 능력을 긍정하며 명상을 마무리하세요.

## ◇ 내면 탐색 질문

- 최근에 경험한 중요한 변화와 그 변화가 자신에게 어떤 영향을 미쳤는지 적어 보세요.
- 미래의 변화를 더 긍정적이고 개방적으로 받아들일 수 있는

방법에 대해 생각해 보세요.

● 변화가 내 삶에 어떤 방식으로 성장이나 새로운 관점을 가져
다 주었는지 생각해 보세요.

# 14일차. 명확성 찾기

"불확실성의 안개를 걷어내고 아침 해처럼 선명함이 떠오른다. 새로운 새벽이 열릴 때마다 더 명확한 길이 우리 앞에 펼쳐집니다."

◇ **명상 포커스**

정신적 명료함과 사물을 있는 그대로 볼 수 있는 능력을 키웁니다.

◇ **명상 연습**

몸과 마음을 준비합니다: 편안하게 앉을 수 있는 조용한 장소를 찾습니다. 눈을 감고 심호흡을 깊고 차분하게 하여 마음을 안정시킵니다.

호흡에 집중하기: 자신의 호흡에 주의를 기울이세요. 호흡의 리듬에 몸을 맡기면 정신적 혼란을 없애고 현재의 순간에 집중할 수 있습니다.

맑은 안개 시각화하기: 새벽녘 계곡에서 부드러운 안개에 둘러싸인 자신을 상상해 보세요. 해가 떠오르면서 안개가 서서히 사라지고 주변의 맑고 아름다운 풍경이 드러나는 모습을 상상해 보세요.

정신적 명료함을 포용하세요: 숨을 쉴 때마다 혼란이나 잡념의 안개에서 벗어나 맑은 하늘처럼 생각이 맑아진다고 상상하세요.

인정하고 놓아주기: 생각이나 걱정이 떠오르면 이를 인정한 다음 맑은 안개 속으로 사라지는 것을 상상하세요.

연습 마무리하기: 준비가 되었다고 느끼면 부드럽게 현재에 다시 집중하세요. 맑고 평온한 느낌을 느끼며 눈을 뜨세요.

## ◇ 내면 탐색 질문

- 명상하는 동안 명료함을 느꼈던 순간을 떠올려 보세요.
- 생활에서 더 명료해지기를 원하는 부분을 찾아봅니다.
- 일상 생활에서 정신적 명료함을 유지하기 위해 취할 수 있는 행동을 생각해 보세요.

# 15일차. 자기 인식 강화

"자기 인식은 고요한 연못과 같아서 잔잔한 물속에서 우리는 진정한 자아의 깊이를 볼 수 있습니다."

## ◇ 명상 포커스

자기 인식을 강화하여 자신의 생각, 감정, 반응을 더 명확하게 이해합니다.

## ◇ 명상 연습

무대 설정하기: 방해받지 않고 앉을 수 있는 평화로운 장소를 찾습니다. 편안하게 앉아서 눈을 감고 시작하세요.

호흡으로 중심 잡기: 호흡에 집중하는 것으로 시작하세요. 들숨과 날숨의 리듬을 느끼며 마음의 중심을 잡으세요.

자아에 집중하기: 주의를 내면으로 돌립니다. 지금 이 순간의 감정, 생각, 감각에 대해 판단하지 않고 성찰합니다.

자기 인식 탐구하기: 명상하면서 "지금 내가 느끼는 감정은 무엇일까?" 또는 "왜 이런 기분이 들까?" 같은 질문을 스스로에게 해보세요. 이러한 질문을 부드럽게 탐색해 보세요.

판단하지 않고 관찰하기: 불편함이나 저항이 느껴진다면 비판 없이 인정하세요. 판단이 아닌 이해의 기회로 삼으세요.

순간으로 돌아가기: 10~15분 후 또는 준비가 되었다고 느끼면 부드럽게 현재로 주의를 돌립니다. 눈을 뜨고 내면의 자아와 더 많이 연결되어 있다고 느껴보세요.

## ◇ 내면 탐색 질문

• 명상하는 동안 떠오른 생각이나 감정에 대한 새로운 통찰이 있다면 적어보세요.

• 자기 인식 연습을 통해 자신에 대해 어떻게 느꼈나요?

• 이렇게 높아진 자기 인식을 일상 생활에 적용할 수 있는 방법을 생각해 보세요.

# 16일차. 내려놓음 학습하기

"날아가는 새처럼 짐을 내려놓고 날아오르세요. 내려놓음으로써
더 높이 날아오를 수 있는 자유를 얻게 됩니다."

## ◇ 명상 포커스

스트레스, 걱정, 부정적인 생각을 떨쳐버리고 자유롭고 가벼운 상태에 도달할 수 있는 능력을 개발합니다.

## ◇ 명상 연습

평화로운 장소 찾기: 편안하고 조용한 곳에 앉거나 눕습니다. 눈을 감고 심호흡을 몇 번 하여 몸과 마음을 이완하세요.

내려놓음 시각화하기: 숨을 내쉴 때마다 부정적인 생각, 걱정, 스트레스가 해소된다고 상상하세요. 새떼가 날아가는 것처럼 그것들이 몸에서 빠져나가 몸이 가벼워지는 것을 상상해 보세요.

가벼움 구현하기: 숨을 내쉴 때마다 몸 전체에 퍼지는 가벼움을 느껴보세요. 어깨의 무게가 가벼워지는 것처럼 느껴져 더 자유롭고 부담감이 없어지는 것을 느껴보세요.

자유를 만끽하세요: 자유와 가벼움의 느낌을 만끽하세요. 몸과 마음이 이러한 해방감에 어떻게 반응하는지 알아보세요.

자신을 되돌아보기: 마음이 방황하거나 특정 생각을 붙잡고 있는 자신을 발견하면, 릴리스의 시각화와 가벼움의 느낌으로 주의를 부드럽게 다시 안내하세요.

감사로 마무리하기: 준비가 되면 주변 환경으로 다시 주의를 환기합니다. 새롭게 느껴지는 자유로움과 가벼움을 느끼며 눈을 뜨세요.

◇ **내면 탐색 질문**

- 짐을 시각화하고 내려놓는 과정에서 어떤 기분이 들었는지 설명하세요.
- 구체적으로 어떤 생각이나 걱정을 내려놓을 수 있었는지 생각해 보세요.
- 일상 생활의 어려운 상황에서 이 놓아주기 연습을 어떻게 활용할 수 있을지 생각해 보세요.

# 17일차. 회복력 키우기

"회복탄력성은 가장 힘든 상황에서도 성장할 수 있는 용기입니다. 사막의 식물처럼 우리도 모든 역경을 이겨내고 번성할 수 있습니다."

## ◇ 명상 포커스

삶의 도전에 힘과 우아함으로 맞설 수 있는 회복 탄력성을 키웁니다.

## ◇ 명상 연습

긴장을 풀고 숨을 쉬세요: 편안한 장소를 찾아 긴장을 풀고 심호흡에 집중하세요.

도전 과제 시각화하기: 도전 과제를 떠올리고 힘차게 극복하는 자신의 모습을 시각화합니다.

회복력 확인: 회복탄력성과 역량을 강화하는 긍정의 말을 반복하세요.

성장에 대해 성찰하기: 천천히 눈을 뜨고 힘과 회복력을 느낍니다.

## ◇ 내면 탐색 질문

- 회복탄력성을 시각화했을 때 어떤 기분이 들었는지 적어 보세요.
- 일상 생활에서 회복탄력성을 강화할 수 있는 방법을 찾아보세요.

# 18일차. 마음챙김 식습관 향상

"식사는 단순히 음식을 섭취하는 것이 아닙니다. 음식의 색, 질감, 풍미, 그리고 음식이 우리 몸과 마음에 가져다 주는 영양을 감상하는 것입니다."

## ◇ 명상 포커스

음식에 대한 인식과 음식이 몸과 마음에 미치는 영향을 향상시키기 위해 식사할 때 마음챙김을 개발합니다.

## ◇ 명상 연습

마음챙김 식사를 위한 준비하기: 과일 한 조각과 같은 작은 음식 하나를 선택합니다. 이 음식을 들고 조용한 곳에 앉습니다.

모든 감각으로 관찰하기: 음식을 먹기 전에 잠시 시간을 내어 음식을 관찰합니다. 음식의 색깔, 질감, 향에 주목하세요. 음식의 존재와 음식이 나에게 오기까지 어떤 여정을 거쳤는지 감사해 보세요.

마음챙김 식사 과정: 한 입 베어 물기. 천천히 씹으며 맛과 질감을 음미합니다. 입안에서 느껴지는 감각과 씹는 행위에 주의를 기울입니다.

경험에 대해 생각하기: 음식이 기분을 어떻게 만드는지 생각해 보세요. 배고픔이나 기분의 변화를 알아차립니다. 음식이 제공하는 영양분을 인정합니다.

식사에 감사하기: 식사를 마친 후에는 잠시 시간을 내어 음식과 음식이 제공한 영양에 대해 감사를 표현하세요.

연습을 마무리합니다: 마음 챙김 식사의 경험과 평소의 식습관과 어떻게 다른지 생각해 보세요.

## ◇ 내면 탐색 질문

• 마음챙김 식사를 하는 동안의 경험과 느낌을 설명하세요.

• 마음챙김 식습관이 음식과의 관계를 어떻게 변화시킬 수 있는지 생각해 보세요.

• 매일의 식사에 마음챙김 식습관을 어떻게 접목할 수 있을지 생각해 보세요.

# 19일차. 집중력 향상

"집중은 그 순간에 중요한 것에 주의를 기울이는 기술입니다.
굳건한 나무처럼 마음을 고정하고 산만하지 않게 하세요."

## ◇ 명상 포커스

생각과 목적을 명확히 하는 데 필수적인 집중력과 집중력을 유지하는 능력을 개발합니다.

## ◇ 명상 연습

성공을 위한 준비: 조용하고 편안한 장소를 선택합니다. 한동안 편안하게 유지할 수 있는 자세를 취하세요.

중심 잡기: 몇 번의 심호흡으로 시작하세요. 숨을 쉴 때마다 외부의 방해 요소를 버리고 현재 순간에 주의를 집중하세요.

한 지점에 집중하세요: 집중할 한 가지 지점을 선택하세요. 숨소리, 특정 단어 또는 외로운 나무와 같은 정신적 이미지가 될 수 있습니다. 이 초점에 모든 주의를 집중하세요.

방해 요소 다루기: 마음이 방황하는 것을 발견할 때마다 부드럽게 인정한 다음 선택한 지점으로 다시 집중하세요. 이 연습은 주의가 산만해지는 것을 피하는 것이 아니라 주의가 산만해진 후 다시 집중하는 방법을 배우는 것입니다.

집중력 심화하기: 연습을 계속하면서 집중력을 더 깊게 끌어올려 보세요. 이 집중 상태가 몸과 마음에 어떤 느낌을 주는지 알아보세요.

마음챙김으로 마무리하기: 부드럽게 수련을 마무리하며 의식을 다시 방으로 가져옵니다. 더욱 집중하고 중심을 잡았다고 느끼면서 눈을 뜨세요.

## ◇ 내면 탐색 질문

● 이 명상을 하는 동안 집중력을 유지하는 데 어려웠던 점과 경험을 기술하세요.

● 이 집중 연습을 일상 업무나 목표에 어떻게 적용할 수 있을지 생각해 보세요.

● 생활에서 집중력을 높이는 데 도움이 되는 환경을 조성할 수 있는 방법을 생각해 보세요.

# 20일차. 용서 탐구하기

"용서는 타인에 대한 친절한 행동일 뿐만 아니라 스스로에게 주는 평화의 선물입니다. 용서는 이해와 정서적 자유로 가는 다리입니다."

## ◇ 명상 포커스

치유와 앞으로 나아가기 위한 수단으로 자신과 타인에 대한 용서의 실천을 받아들입니다.

## ◇ 명상 연습

조용한 공간 찾기: 편안하고 평화로운 장소에 앉습니다. 눈을 감고 심호흡을 여러 번 하여 몸과 마음을 이완하세요.

용서에 대해 생각해 보기: 용서의 개념에 대해 생각해 보세요. 여러분에게 용서는 어떤 의미인가요? 다른 사람이나 자신을 용서할 때 몸과 마음이 어떻게 느껴지나요?

용서 시각화하기: 용서하고 싶은 사람을 상상해 보세요(나 자신일 수도 있습니다). 용서를 표현하고 상대방의 관점을 이해하는 대화를 상상해 보세요. 부정적인 감정이 사라지고 평화가 찾아오는 것을 느껴보세요.

원한을 버리기: 상처나 분노의 감정이 떠오르면 이를 인정한 다음, 숨을 내쉴 때마다 그 감정이 사라지고 치유와 연민을 위한 공간이 생긴다고 상상하세요.

평화를 긍정하기: 용서하고 놓아주기로 한 결심을 확인하며 명상을 마무리합니다. 이 선택에 따른 힘과 평화를 인식하세요.

부드럽게 돌아오기: 준비가 되면 현재 순간으로 의식을 되돌려 놓습니다. 더 가볍고 평화로운 느낌으로 눈을 뜨세요.

## ◇ 내면 탐색 질문

- 용서 명상 중에 겪은 경험과 어려움에 대해 적어보세요.
- 용서를 실천하는 것이 정서적 안녕에 어떤 영향을 미칠 수 있는지 생각해 보세요.
- 일상 생활에서 어떻게 하면 더 용서하는 태도를 기를 수 있을지 생각해 보세요.

# 21일차. 스트레스 관리와 휴식

"잔잔한 바다가 해안을 진정시키는 것처럼, 휴식의 파도가 스트레스를 씻어내고 평온함을 남기게 하세요

◇ **명상 포커스**

스트레스를 관리하고 깊은 이완으로 평온함을 유지합니다.

◇ **명상 연습**

이완을 위한 준비: 앉거나 누울 수 있는 편안하고 조용한 공간을 찾습니다. 눈을 감고 몸을 이완하기 시작합니다.

진정을 위한 심호흡: 깊고 느린 호흡으로 시작하세요. 코로 숨을 들이마시고 잠시 숨을 참았다가 입으로 천천히 숨을 내쉽니다. 숨을 내쉴 때마다 몸의 긴장을 풀어줍니다.

긴장을 풀기 위해 몸을 스캔합니다: 머리부터 발끝까지 정신적으로 몸을 스캔합니다. 긴장이 느껴지는 곳이 있으면 숨을 내쉴 때마다 해당 부위를 이완하는 데 집중하세요. 몸에서 스트레스가 사라지는 것을 시각화하세요.

고요함을 시각화하기: 해질녘의 잔잔한 바다를 마음속으로 그려보세요. 파도가 부드럽게 해안을 스치는 모습을 상상하고, 파도마다 긴장이 풀리고 스트레스가 씻겨 내려가는 모습을 상상하세요.

평온함을 포용하세요: 이 평화로운 이미지에 집중하며 평온함이 내 안에 스며들도록 하세요. 몸과 마음이 평온해지는 것을 느껴보세요.

부드럽게 돌아오기: 편안하고 상쾌한 기분이 들면 천천히 현재로 의식을 되돌립니다. 평화를 품은 채 눈을 뜨세요.

## ◇ 내면 탐색 질문

- 이완과 스트레스 해소 운동을 하는 동안 어떤 기분이 들었는지 설명하세요.
- 생활에서 스트레스 요인을 파악하고 이러한 이완 기법을 어떻게 적용할 수 있을지 생각해 보세요.
- 전반적인 웰빙을 위한 스트레스 관리의 중요성에 대해 생각해 보세요.

# 22일차. 마음챙김 운동

"마음챙김 동작은 몸과 호흡 사이의 춤입니다. 각 동작이 인식과 균형의 표현인 은혜의 여정입니다."

## ◇ 명상 포커스

마음챙김을 신체 움직임에 통합하여 신체 인식과 정신적 명료성을 향상시킵니다.

## ◇ 명상 연습

마음챙김 동작을 위한 준비: 자유롭게 움직일 수 있는 충분한 공간이 있는 조용한 공간을 선택합니다. 편안하고 이완된 자세로 서는 것으로 시작합니다.

중심 잡기: 눈을 감고 심호흡을 몇 번 한 다음 발이 바닥에 단단히 고정된 것을 느낍니다. 내 몸의 존재와 무게를 인식하세요.

부드러운 동작을 소개합니다: 호흡에 맞춰 느리고 의도적인 움직임으로 시작하세요. 간단한 스트레칭, 요가 자세 또는 태극권 동작이 될 수 있습니다. 각 동작에 온전히 집중하세요.

신체 감각 관찰하기: 움직일 때 몸이 어떻게 느껴지는지 주의를 기울이세요. 사용하는 근육, 필요한 균형, 움직임의 감각에 주목하세요.

마음챙김 기르기: 현재 순간에 집중하세요. 마음이 방황하면 부드럽게 동작과 호흡으로 되돌아가세요.

수련을 마무리합니다: 동작의 속도를 늦추고 서서히 멈춥니다. 잠시 가만히 서서 마음챙김 동작 세션의 경험을 느껴보세요.

## ◇ 내면 탐색 질문

• 마음챙김과 움직임을 통합하는 것이 신체적, 정신적 상태에 어떤 영향을 미쳤는지 생각해 보세요.

• 특히 의미 있거나 즐거웠던 특정 동작을 찾아보세요.

• 일상 생활에 마음챙김 동작을 어떻게 통합할 수 있을지 생각해 보세요.

# 23일차. 기쁨 발견하기

"기쁨은 활동을 마치는 것이 아니라 활동을 하는 데서 찾습니다. 매 순간을 삶의 축제로 삼아 일상의 경험에 기쁨을 불어넣으세요."

## ◇ 명상 포커스

일상에서 기쁨의 순간을 인식하고 포용합니다.

## ◇ 명상 연습

편안한 장소 찾기: 방해받지 않고 휴식을 취할 수 있는 조용한 장소에 앉습니다. 눈을 감고 심호흡을 몇 번 하면서 마음의 중심을 잡으세요.

즐거웠던 순간을 떠올려봅니다: 최근 자신에게 기쁨을 가져다준 순간을 떠올려 보세요. 즐거운 대화나 자연의 아름다움처럼 사소한 것일 수도 있습니다.

기쁨 음미하기: 이 순간에 집중하면서 그 순간이 불러일으킨 감정을 떠올리고 그 감정에 몰입해 보세요. 이러한 긍정적인 감정에 몸과 마음이 어떻게 반응하는지 알아보세요.

기쁨의 느낌 확장하기: 기쁨의 느낌이 커져서 온몸을 가득 채우도록 하세요. 숨을 쉴 때마다 그 느낌이 더욱 활기차고 포괄적으로 느껴지도록 하세요.

기쁨을 가지고 다니기: 이 기쁨의 느낌을 삶의 다른 측면으로 어떻게 가져갈 수 있을지 생각해 보세요. 일상적인 활동을 할 때도 이와 같은 감사와 행복감을 느끼며 접근하는 자신을 상상해 보세요.

감사로 마무리하기: 부드럽게 현재 순간에 다시 집중하세요. 상쾌한 기분으로 눈을 뜨고 기쁨을 마음에 담습니다.

## ◇ 내면 탐색 질문

• 명상하는 동안 집중했던 즐거운 순간과 그 순간이 어떤 느낌을 주었는지 적어보세요.

• 기쁨이 나에게 어떤 의미인지, 어떻게 하면 삶에서 더 많은 기쁨을 키울 수 있을지 생각해 보세요.

• 일상의 경험에 더 많은 기쁨을 불러일으키기 위해 할 수 있는 작은 변화를 찾아보세요.

# 24일차. 친절함 키우기

"친절은 마음에 직접적으로 다가가는 언어입니다. 친절은 우리가 접하는 삶에 깊은 울림을 주는 단순한 행동입니다."

◇ **명상 포커스**

일상생활에서 친절함을 실천합니다..

◇ **명상 연습**

친절을 위한 준비: 조용하고 편안한 장소를 찾습니다. 눈을 감고 심호흡을 몇 번 하여 평온한 상태가 되도록 합니다.

친절한 생각에 집중하기: 자신에 대해 친절한 생각을 하는 것으로 시작하세요. 자신의 강점, 노력, 선함을 인정하세요.

다른 사람에게도 친절함을 베풀기: 친절한 생각을 친구, 가족, 동료 등 주변 사람들, 심지어는 힘들게 느껴질 수 있는 사람들에게까지 확장하세요.

친절한 행동 시각화하기: 작은 친절의 행동을 실천하는 자신을 상상해 보세요. 이러한 행동이 다른 사람과 자신에게 미치는 긍정적인 영향을 시각화해 보세요.

친절의 따뜻함을 느껴보세요: 친절한 행동을 생각하고 시각화하는 것이 감정과 신체에 어떤 영향을 미치는지 알아보세요. 이러한 생각에서 오는 따뜻함과 가벼움을 느껴보세요.

친절함을 지니고 다니기: 이 친절함을 행동과 생각 모두에서 일상 생활로 가져가겠다는 의도로 명상을 마무리합니다.

## ◇ 내면 탐색 질문

자신과 타인을 향한 친절한 생각에 대해 생각해 보세요.

일상에서 어떻게 하면 더 많은 친절함을 실천할 수 있을지 적어봅니다.

친절함을 키우는 것이 인간관계와 웰빙에 어떤 영향을 미칠 수 있는지 생각해 보세요.

# 25일차. 감사 수용하기

"감사는 우리가 가진 것을 충분함 그 이상으로 바꿔줍니다. 감사는 오늘의 평화를 가져다 주고 내일의 비전을 만들어 줍니다."

◇ **명상 포커스**

인생의 크고 작은 축복에 대해 깊은 감사의 마음을 키웁니다.

◇ **명상 연습**

조용한 순간 찾기: 방해받지 않고 앉을 수 있는 평화로운 장소를 선택하세요. 눈을 감고 심호흡을 몇 번 하여 마음의 중심을 잡으세요.

감사한 일 생각하기: 삶에서 감사한 일들을 떠올려 보세요. 당연한 것부터 시작해서 덜 당연한 것으로 넘어가세요.

느낌 음미하기: 감사의 항목을 하나씩 떠올릴 때마다 잠시 멈춰서 그 감사와 기쁨을 느껴보세요. 이 감사가 몸에서 어떻게 느껴지는지 알아보세요.

소소한 즐거움에 감사하기: 따뜻한 커피 한 잔, 낯선 사람의 미소, 집의 안락함 등 삶의 소소한 즐거움에 초점을 맞춰보세요.

감사를 일상적으로 실천하기: 감사를 매일 실천하는 것을 상상해 보세요. 이렇게 하면 일상을 바라보는 관점이 어떻게 달라질까요?

감사하는 마음으로 마무리하기: 인정한 감사로 인해 풍요로워지고 힘이 솟는 느낌을 받으며 명상을 부드럽게 마무리하세요.

## ◇ 내면 탐색 질문

• 명상하는 동안 감사함을 느낀 것에 대해 적어봅니다.

• 감사를 실천하는 것이 기분과 전망에 어떤 영향을 미칠 수 있는지 생각해 보세요.

• 하루 종일 감사를 실천하기 위해 스스로에게 상기시킬 수 있는 방법을 생각해 보세요.

# 26일차. 자기연민 강화하기

"자기 연민은 자신을 이해하고 받아들이는 첫 번째 단계입니다. 좋은 친구에게 베푸는 것과 같은 친절함으로 자신을 대하는 것입니다.

## ◇ 명상 포커스

스트레스나 자기 비판이 심할 때 자신에 대한 연민과 친절함을 기릅니다.

## ◇ 명상 연습

평화로운 환경 찾기: 조용한 공간에 편안하게 앉습니다. 눈을 감고 깊고 차분한 호흡으로 긴장을 풀기 시작하세요.

연민으로 호흡하기: 숨을 들이마실 때마다 자신에 대한 따뜻함과 연민을 끌어당기는 상상을 합니다. 이 자비로운 에너지가 자신을 감싸는 편안한 빛이라고 상상하세요.

자기 비판 인정하기: 자신에게 비판적이거나 가혹했던 순간을 떠올려 보세요. 이에 집착하지 말고 스스로에게 이해와 용서를 구하세요.

자기 연민을 긍정하기: "나는 친절할 자격이 있다" 또는 "나는 있는 그대로의 나를 받아들인다"와 같이 자기 연민을 강화하는 긍정을 반복하세요.

자비로운 반응 시각화하기: 최근의 힘든 상황을 생각해 보세요. 이 상황에서 연민과 이해를 가지고 어떻게 자신에게 반응할 수 있을까요?

자기 수용으로 마무리하기: 자기 연민과 수용에 대한 새로운 느낌을 느끼면서 천천히 현재에 다시 집중하세요.

◇ **내면 탐색 질문**

• 명상하는 동안 자기 연민을 실천하는 것이 어떤 느낌인지 생각해봅니다.

• 생활에서 자신에게 더 자비심을 가질 수 있는 부분에 대해 적어봅니다.

• 자기 연민이 전반적인 웰빙과 인간관계에 미치는 영향을 생각해 보세요.

# 27일차. 마음의 평화 키우기

"마음의 평화는 숲 한가운데에 있는 고요한 연못과 같습니다. 항상 고요하고 방해받지 않은 채 여러분이 방문하기를 기다리고 있습니다."

## ◇ 명상 포커스

외부 환경에 관계없이 내면의 깊은 평화에 집중합니다.

## ◇ 명상 연습

평화로운 환경 조성하기: 방해받지 않는 조용한 장소에 앉습니다. 편안한 자세로 긴장을 푸세요.

진정 호흡법: 천천히 심호흡을 하는 것으로 시작하세요. 숨을 내쉴 때마다 느끼는 긴장을 풀어줍니다.

내면의 평화 시각화하기: 내면의 평화를 상징하는 고요한 연못을 상상해 보세요. 잔잔한 수면, 맑은 물, 주변의 고요한 환경을 시각화하세요.

평화의 감각 심화하기: 숨을 쉴 때마다 더욱 편안해지고 평화로워지는 자신을 느껴보세요. 이 평온한 느낌이 몸과 마음 전체에 퍼지도록 하세요.

평화로운 마음가짐 유지하기: 산만하거나 괴로운 생각이 떠오르면 연못에 떠다니는 나뭇잎처럼 평온함을 방해하지 않고 떠내려간다고 상상하세요.

부드럽게 떠오르기: 평화가 가득하다고 느껴질 때, 부드럽게 주의를 현재의 순간으로 되돌려 보세요. 이 평온함을 느끼며 눈을 떠보세요.

◇ **내면 탐색 질문**

• 명상하는 동안 내면의 평화를 찾은 경험을 묘사하세요.

• 내면의 평화가 자신에게 어떤 의미인지, 몸과 마음이 어떻게 느껴졌는지 생각해 보세요.

• 하루 중 스트레스가 많은 시간 동안 내면의 평화를 얻을 수 있는 방법을 생각해 보세요.

# 28일차. 긍정 수용하기

"긍정은 어둠을 몰아내고 우리 주변 세상에 빛을 가져다주는 일출과 같습니다. 매일은 이 빛을 받아들일 수 있는 기회입니다."

## ◇ 명상 포커스

세상과의 인식과 상호작용에 영향을 미칠 수 있는 긍정적인 마음가짐을 기릅니다.

## ◇ 명상 연습

분위기 조성: 방해받지 않을 수 있는 편안하고 조용한 장소를 찾습니다. 자리에 앉아 눈을 감고 심호흡을 하며 긴장을 푸세요.

긍정적으로 호흡하기: 숨을 들이마실 때마다 긍정과 빛을 끌어들이는 상상을 합니다. 숨을 내쉴 때마다 부정적인 생각이나 감정을 내뱉습니다.

일출 시각화하기: 아름다운 일출을 마음속으로 그려보세요. 따뜻하고 황금빛 빛이 희망과 낙관주의, 긍정으로 가득 찬 모습을 상상해 보세요.

긍정적인 측면에 집중하기: 우정, 성취, 소소한 기쁨 등 삶의 긍정적인 측면에 대해 생각해 보세요. 이러한 생각이 내면의 긍정적인 느낌을 강화하도록 하세요.

하루 종일 긍정적으로 생활하기: 이러한 긍정적인 마음이 하루 일과에 어떤 영향을 미칠 수 있는지 생각해 보세요. 긍정적인 시각으로 도전에 직면한 자신의 모습을 상상해 보세요.

부드럽게 현재로 돌아오기: 긍정적인 공간에서 시간을 보낸 후, 부드럽게 현재로 다시 집중하세요. 상쾌한 기분으로 눈을 뜨고 이 긍정의 기운을 마음에 담아보세요.

◇ **내면 탐색 질문**

• 명상하는 동안 생각한 긍정적인 측면에 대해 적어봅니다.

• 긍정적인 마음가짐을 유지하는 것이 일상 생활에 어떤 영향을 미칠 수 있는지 생각해 보세요.

• 다른 사람들과의 상호작용에서 긍정성을 키우고 전파할 수 있는 방법을 생각해 보세요.

# 29일차. 일상생활 속 마음챙김

"마음챙김은 명상만을 위한 것이 아닙니다. 마음챙김은 단순히 현재에 집중하는 것만으로도 평범한 일상을 비범한 것으로 바꿀 수 있는 수행법입니다."

## ◇ 명상 포커스

마음챙김을 일상적인 활동에 통합하여 현재 순간에 대한 인식과 감사를 강화합니다.

## ◇ 명상 연습

활동 선택하기: 차 마시기, 식사하기, 걷기 등 일상적인 활동을 선택합니다.

온전한 인식으로 참여하기: 활동을 시작할 때 작업에 온전히 집중하세요. 차의 향기, 음식의 질감, 걸음걸이의 리듬 등 관련된 모든 세부 사항과 감각에 주의를 기울이세요.

생각과 감각 관찰하기: 떠오르는 생각이나 감각에 주의를 기울이세요. 판단하지 않고 이를 인정한 다음, 부드럽게 다시 활동에 집중하세요.

일상에서 기쁨 찾기: 평범한 작업에서 기쁨이나 흥미를 찾으려고 노력하세요. 그 과정과 일상에서의 역할에 감사하세요.

신중하게 마무리하기: 활동을 마치면 잠시 시간을 내어 마음챙김을 실천한 경험을 되돌아봅니다. 기분이 어땠나요? 무엇을 느꼈나요?

## ◇ 내면 탐색 질문

• 일상적인 작업을 마음챙김으로 수행한 경험을 설명하세요.

• 마음챙김이 그 활동에 대한 인식에 어떤 영향을 미쳤는지 생각해 보세요.

• 일상의 다른 측면에 마음챙김을 어떻게 적용할 수 있을지 생각해 보세요.

# 30일차. 정서적 균형 기르기

"정서적 균형은 삶의 고조와 저조가 조화로운 평온 속에서 만나는 잔잔한 바다와 같습니다."

## ◇ 명상 포커스

감정에 압도되지 않고 감정을 인정하고 관리하여 정서적 균형 상태를 달성합니다.

## ◇ 명상 연습

평온함 찾기: 방해받지 않고 편안하게 앉을 수 있는 조용한 장소를 선택하세요. 눈을 감고 심호흡으로 긴장을 풀기 시작합니다.

감정 인정하기: 현재의 감정을 알아차립니다. 판단하지 않고 조용히 그 감정에 이름을 붙입니다(예: 행복, 불안, 만족).

감정을 통해 호흡하기: 호흡에 집중하세요. 숨을 들이쉴 때마다 자신의 감정을 인정하고, 숨을 내쉴 때마다 감정적 긴장이 풀린다고 상상하세요.

감정적 균형 시각화하기: 저울이나 저울을 상상해 보세요. 이 저울에 감정을 올려놓고 서로 다른 감정 사이의 균형을 시각화합니다.

평정심 기르기: 명상하면서 감정의 기복에 관계없이 균형 잡힌 평온한 마음 상태인 평정심을 기르세요.

알아차림으로 마무리하기: 부드럽게 현재에 다시 집중하세요. 감정적으로 더 균형 잡히고 중심을 잡았다고 느끼면서 눈을 뜨세요.

◇ **내면 탐색 질문**

• 확인된 감정과 그 감정을 인정한 기분에 대해 적어봅니다.

• 정서적 균형을 유지하는 것이 일상 생활에 어떤 영향을 미칠 수 있는지 생각해 보세요.

• 어려운 상황에서 균형 잡힌 감정 상태를 유지하기 위해 사용할 수 있는 전략을 생각해 보세요.

# 31일차. 자연 감상하기

"자연은 서두르지 않지만 모든 것이 성취됩니다. 그 존재 속에서 우리는 영혼을 달래고 정신을 일깨우는 리듬을 발견합니다."

◇ **명상 포커스**

자연과 연결하여 평화, 안정감, 세상에 대한 소속감을 찾습니다.

◇ **명상 연습**

자연과 연결하기: 가능하면 자연 속에서 조용한 장소를 찾아 명상하세요. 그렇지 않다면 야외가 보이는 창가에 앉거나 자연 환경을 상상하며 명상하세요.

자연 환경 관찰하기: 모든 감각을 동원해 주변 환경을 관찰하세요. 주변의 색, 소리, 냄새, 공기나 땅의 촉감에 주목하세요.

자연과 호흡하기: 숨을 들이마시면서 자연의 에너지와 평화를 끌어당긴다고 상상하세요. 숨을 내쉴 때마다 스트레스나 긴장을 풀어줍니다.

자연의 교훈을 생각해보세요: 회복력, 인내심, 자연 순환의 아름다움 등 자연이 주는 교훈을 생각해 보세요.

자연의 일부로 느껴보기: 자연 세계와의 연결성을 느껴보세요. 자신이 이 아름답고 서로 연결된 생태계의 필수적인 부분임을 인식하세요.

부드럽게 돌아가기: 자연과 자연이 주는 평온함에 감사를 표현하며 명상을 마무리하세요. 눈을 뜨고 더욱 안정되고 평화로운 기분을 느껴보세요.

◇ **내면 탐색 질문**

● 자연과 교감하면서 느낀 경험과 감각을 묘사하세요.

● 자연이 나에게 어떤 의미인지, 자연이 나의 웰빙에 어떤 영향을 미치는지 생각해 보세요.

● 일상 생활에 자연 감상을 더 많이 도입할 수 있는 방법을 생각해 보세요.

# 32일차. 자기표현 탐구하기

"자기 표현은 내면의 세계를 외부로 표현하는 예술입니다. 그것은 발견, 창의성, 진정성의 여정입니다."

## ◇ 명상 포커스

나만의 독특한 자기 표현 방식을 발견하고 포용합니다.

## ◇ 명상 연습

창의성을 위한 분위기 조성하기: 편안하고 평화로운 장소를 찾으세요. 심호흡으로 긴장을 풀고 마음을 여는 것으로 시작하세요.

개인적인 표현에 대해 생각해 보기: 자신을 어떻게 표현하는지 생각해 보세요.

미술, 글쓰기, 말하기, 심지어는 일상적인 선택을 통해서도 표현할 수 있습니다.

창의적 흐름 시각화하기: 자신을 표현하는 행위를 하고 있다고 상상해 보세요. 완전히 몰입하여 창작의 과정을 즐기는 자신의 모습을 상상해 보세요.

개성을 존중하기: 자신만의 독특한 관점과 목소리의 중요성을 인식하세요. 진정한 자기 표현에서 오는 만족감과 기쁨을 느껴 보세요.

영감으로 마무리하기: 삶의 다양한 측면에서 자신을 더 자유롭게 표현하고 싶은 의욕을 느끼며 명상을 마무리하세요.

## ◇ 내면 탐색 질문

- 자신이 즐기거나 탐구하고 싶은 자기 표현의 형태에 대해 적어봅니다.

- 자기 표현이 나에게 어떤 의미인지, 그리고 그것이 내 삶에 어떤 영향을 미치는지 생각해 봅니다.
- 일상에 더 창의적인 표현을 접목할 수 있는 방법을 계획해 보세요.

# 33일차. 감성 지능 향상하기

"감성 지능은 자신과 타인을 이해하는 열쇠입니다. 그것은 우리의 관계를 깊게 하고 우리의 경험을 풍요롭게 합니다."

◇ 명상 포커스

자신의 감정과 타인의 감정을 더 깊이 이해하고 연결합니다.

## ◇ 명상 연습

통찰을 위한 준비: 편안하게 앉을 수 있는 조용한 장소를 찾습니다. 심호흡으로 시작하여 생각의 중심을 잡습니다.

감정에 대해 성찰하기: 최근의 감정적 경험에 대해 생각해 봅니다. 이러한 감정을 인정하고 그 감정의 기원과 영향을 고려합니다.

타인과 공감하기: 주변 사람들의 감정을 이해하는 데 집중하세요. 상대방의 관점에서 상황을 보려고 노력하세요.

자기 인식 키우기: 자신의 감정이 생각과 행동에 어떤 영향을 미치는지 인정하세요. 감정을 더 효과적으로 관리할 수 있다고 상상해 보세요.

마음챙김으로 마무리하기: 일상적인 상호작용에서 감정을 더 잘 인식하고 반응하겠다는 다짐으로 명상을 마무리하세요.

## ◇ 내면 탐색 질문

- 감정적 경험과 그로부터 배운 점을 적습니다.
- 감성 지능을 향상시키는 것이 어떻게 인간관계를 향상시킬 수 있는지 생각해 봅니다.
- 자신의 감정과 타인의 감정에 더 주의를 기울이고 반응하는 방법을 생각해 보세요.

# 34일차. 취약함에서 힘 찾기

"취약함 속에 강함이 있다. 바위틈을 뚫고 피어나는 꽃처럼, 가장 취약한 순간에도 우리는 놀라운 회복력을 발휘할 수 있다는 것을 보여줍니다.

◇ **명상 포커스**

취약성을 강함과 진정성의 원천으로 받아들입니다.

◇ **명상 연습**

안전한 공간 만들기: 안정감을 느낄 수 있는 조용하고 편안한 장소에 앉습니다. 눈을 감고 심호흡을 몇 번 하여 마음의 중심을 잡으세요.

취약성 포용하기: 최근 자신이 취약하다고 느꼈던 순간을 떠올려보세요. 그 감정을 밀어내지 말고 포용하세요. 취약성을 인간의 일부로 인식하세요.

회복탄력성 시각화하기: 바위를 뚫고 피어나는 꽃의 모습을 상상해 보세요. 꽃 속에서 자신의 취약성에서 힘과 회복력을 발견하는 자신을 상상해 보세요.

감정 인정하기: 떠오르는 감정을 있는 그대로 느껴보세요. 취약하다고 느끼는 것은 괜찮습니다. 그것이 당신의 힘을 약화시키지 않는다는 것을 기억하세요.

취약성에서 배우기: 취약성이 나 자신에 대해 무엇을 가르쳐주고 어떻게 성장에 도움이 될 수 있는지 생각해 보세요.

이해를 바탕으로 복귀하기: 준비가 되면 현재에 다시 집중하세요. 취약성 속에서 자신의 강점에 대한 새로운 존중을 느끼며 눈을 떠보세요.

◇ **내면 탐색 질문**

● 연약함을 느끼는 것에 대한 성찰과 그것이 어떻게 강점이 될 수 있는지에 대해 적어보세요.

● 취약성을 인정하는 것이 자신에 대한 관점에 어떤 영향을 미쳤는지 생각해 보세요.

● 다른 사람들이 자신의 취약성을 포용하도록 지원할 수 있는 방법을 생각해 보세요.

# 35일차. 자기사랑 포용하기

"자기 사랑은 행복한 삶을 구축하는 토대입니다. 그것이 없다면 우리는 설 곳이 없습니다."

## ◇ 명상 포커스

자신에 대한 깊은 사랑과 수용감을 키웁니다.

## ◇ 명상 연습

편안함 찾기: 편안하고 방해받지 않는 조용한 장소에 앉습니다. 눈을 감고 심호흡으로 마음을 진정시키는 것부터 시작하세요.

자기 사랑에 집중하기: 마음의 중심에 주의를 집중하세요. 이 영역에 자신에 대한 사랑과 연민을 상징하는 따뜻하고 빛나는 빛을 시각화 합니다.

자기 사랑에 대한 긍정: "나는 사랑과 행복을 누릴 자격이 있다" 또는 "나는 있는 그대로의 나를 받아들인다"와 같이 자기애를 강화하는 긍정을 조용히 반복합니다.

자질에 대해 성찰하기: 자신의 긍정적인 자질과 업적에 대해 생각해 보세요. 고유한 자아의 일부로서 이를 인정하고 축하하세요.

불완전함을 포용하기: 불완전한 것도 인간의 일부임을 인식하세요. 자신의 결점이나 실수에 대해 친절과 이해를 베풀어 주세요.

감사로 마무리하기: 자신의 모습에 감사하는 마음을 느끼며 명상을 부드럽게 마무리합니다. 자기애를 느끼며 눈을 뜨세요.

◇ **내면 탐색 질문**

• 명상하는 동안 자기 사랑의 실천이 어떻게 느껴졌는지 적어 보세요.

• 일상 생활에서 스스로에게 사랑과 친절을 표현할 수 있는 방법을 생각해 보세요.

• 자기애를 강화하는 것이 인간관계와 전반적인 웰빙에 어떤 영향을 미칠 수 있는지 생각해 보세요.

# 36일차. 건강한 관계 형성하기

"건강한 관계는 상호 존중, 이해, 진정한 배려를 바탕으로 구축됩니다. 정원에 있는 식물처럼 성장하기 위해서는 관심과 보살핌이 필요합니다."

## ◇ 명상 포커스

더 건강한 관계를 위한 이해, 공감, 효과적인 커뮤니케이션을 개발합니다.

## ◇ 명상 연습

차분한 환경 조성하기: 조용하고 편안한 장소를 찾아 앉습니다. 눈을 감고 심호흡을 하며 마음의 중심을 잡으세요.

관계에 대해 성찰하기: 인생에서 중요한 관계에 대해 생각해 보세요. 각 사람이 나에게 어떤 의미인지, 그리고 그들과의 상호작용의 본질에 대해 생각해 보세요.

공감과 이해력 키우기: 중요한 관계에 대해 상대방의 관점에서 사물을 바라보려고 노력하세요. 상대방의 감정과 생각을 인정하고 어떻게 하면 더 잘 지원하고 이해할 수 있을지 상상해 보세요.

긍정적인 생각 보내기: 주변 사람들에게 긍정적인 생각과 에너지를 보내는 모습을 시각화하세요. 이러한 생각이 관계를 강화하고 풍요롭게 한다고 상상해 보세요.

자신의 역할 인정하기: 자신의 행동과 말이 관계에 어떤 영향을 미치는지 생각해 보세요. 상대방의 건강과 성장에 기여할 수 있는 방법을 생각해 보세요.

감사하는 마음으로 돌아가기: 내 삶의 관계에 대해 감사하는 마음으로 명상을 마무리하세요. 눈을 크게 뜨고 더 연결되어 있다는 느낌과 함께 그들을 돌보는 데 전념하세요.

## ◇ 내면 탐색 질문

• 내 인생의 주요 관계에 대한 성찰을 글로 써보세요.

• 공감과 이해를 통해 이러한 관계를 개선할 수 있는 방법을 생각해 보세요.

• 건강한 관계가 개인의 성장과 행복에 어떻게 기여하는지 생각해 보세요.

# 37일차. 불안감 관리하기

"불안은 거친 바다와 같아서 인내와 연습을 통해 그 파도를 헤쳐나가는 법을 배우고 평화의 길을 찾을 수 있습니다."

## ◇ 명상 포커스

불안감을 인식하고, 받아들이고, 흘려보내는 것에 집중합니다.

## ◇ 명상 연습

평온함을 위한 준비하기: 조용하고 편안한 장소를 찾아 앉습니다. 눈을 감고 깊고 차분한 호흡으로 시작하여 몸과 마음을 이완합니다.

불안감 인식하기: 현재 느끼는 불안감을 인정합니다. 판단하지 않고 그 감정에 이름을 붙이고 그 존재를 받아들입니다.

이완을 위한 심호흡: 호흡에 집중하세요. 숨을 깊게 들이마셨다가 천천히 내쉬면서 숨을 쉴 때마다 불안감이 사라지는 것을 상상합니다.

평온함 시각화하기: 잔잔한 바다를 상상합니다. 파도가 일 때마다 불안감이 사라지고 평온함과 투명함이 남는다고 시각화하세요.

자신을 접지하세요: 발에서 땅속으로 뿌리가 뻗어 나와 나를 고정시킨다고 상상해 보세요. 뿌리가 제공하는 안정감과 힘을 느껴보세요.

긍정으로 마무리하기: 부드럽게 현재에 다시 집중하세요. 눈을 크게 뜨고 더욱 안정감을 느끼고 불안을 관리할 준비가 되었다

고 느껴보세요.

◇ **내면 탐색 질문**

• 명상하는 동안 경험한 감각과 생각에 대해 적습니다.

• 불안감을 줄이는 데 도움이 된 전략을 생각해 봅니다.

• 불안감이 생길 때 일상적인 상황에서 어떻게 적용할 수 있을
지 생각해 보세요.

# 38일차. 고요함 수용하기

"고요함 속에서 우리는 일상의 혼돈에서 벗어날 수 있는 명료함과 평화를 발견합니다. 고요함을 받아들여 내면의 평온으로 안내하세요."

## ◇ 명상 포커스

몸과 마음을 진정시키는 고요함의 힘을 발견하세요.

## ◇ 명상 연습

조용한 장소 찾기: 평화로운 장소에 앉습니다. 눈을 감고 천천히 심호흡을 하며 긴장을 푸세요.

고요함 추구하기: 몸과 마음이 완전히 고요해지는 데 집중하세요. 생각을 끌어들이지 않고 그냥 지나가도록 놔둡니다.

침묵에 집중하기: 주변의 고요함에 주의를 기울이세요. 침묵이 여러분을 감싸고 평화로움을 느끼게 하세요.

침착하게 일어나기: 10~15분 후, 고요함을 느끼며 부드럽게 눈을 뜹니다.

## ◇ 내면 탐색 질문

- 고요함의 경험과 그것이 마음 상태에 어떤 영향을 미쳤는지 되돌아봅니다.
- 고요함의 순간을 일상에 어떻게 접목시킬 수 있을지 생각해 보세요.

# 39일차. 회복력 키우기

"회복탄력성이란 삶의 도전으로부터 더 강하게 회복하는 능력입니다. 역경을 딛고 번성하는 식물처럼 우리도 역경을 딛고 성장할 수 있습니다."

## ◇ 명상 포커스

삶의 도전에 힘과 우아함으로 맞설 수 있는 회복력을 키웁니다.

## ◇ 명상 연습

긴장을 풀고 숨을 쉬세요: 편안한 장소를 찾아 긴장을 풀고 심호흡에 집중하세요.

도전 과제 시각화하기: 도전 과제를 떠올리고 힘차게 극복하는 자신의 모습을 상상해 보세요.

회복력 확인: 회복탄력성과 역량을 강화하는 긍정의 말을 반복하세요.

성장에 대해 성찰하기: 천천히 눈을 뜨고 힘과 회복력을 느낍니다.

## ◇ 내면 탐색 질문

• 회복탄력성을 시각화했을 때 어떤 기분이 들었는지 적어 보세요.

• 일상 생활에서 회복탄력성을 강화할 수 있는 방법을 찾아보세요.

# 40일차. 창의력 향상

"창의성은 탐구하고 상상하고 발명할 수 있는 자유입니다. 창의성은 평범함을 넘어 무한한 가능성의 세계를 발견하는 여정입니다."

## ◇ 명상 포커스

창의력과 잠재력을 발휘하는데 집중합니다.

## ◇ 명상 연습

창의적인 분위기 조성하기: 편안하게 앉아 눈을 감고 심호흡을 하며 긴장을 풀어보세요.

창의력 상상하기: 창의력을 상징하는 색이나 에너지가 흐르는 모습을 상상해 보세요.

아이디어 탐색하기: 상상력이 풍부한 아이디어와 생각을 떠올리며 마음을 자유롭게 하세요.

영감으로 깨어나기: 영감이 떠오르고 창작할 준비가 되었다고 느끼면서 부드럽게 눈을 뜨세요.

## ◇ 내면 탐색 질문

• 명상 중에 떠오른 아이디어와 이미지를 묘사하세요. 일상에서 어떻게 창의력을 키우고 표현할 수 있을지 생각해 보세요.
• 매일의 세션은 고요함, 회복력, 창의력 등 개인적 성장의 특정 측면에 초점을 맞추도록 설계되었습니다. 이러한 관행은 평온함, 힘, 상상력 표현을 위한 도구를 제공하여 독자의 내면을 풍요롭게 하는 것을 목표로 합니다.

# 41일차. 조화 찾기

"조화는 존재와 행위, 개성과 통합의 균형입니다. 조화 속에서 우리는 생명의 노래와 공명하는 리듬을 발견합니다."

## ◇ 명상 포커스

일상속에서 조화와 균형을 찾는 것에 집중합니다.

## ◇ 명상 연습

평화로운 공간에서 휴식하기: 조용한 공간에 앉아 몸을 이완하고 호흡에 집중합니다.

조화 시각화하기: 다양한 자연 요소가 완벽한 균형을 이루며 공존하는 장면을 상상해 보세요.

조화에 맞춰 정렬하기: 생활에서 균형을 추구하는 영역을 생각해 보고, 그 영역이 조화를 이루는 모습을 시각화합니다.

평화롭게 떠오르기: 눈을 부드럽게 뜨고 내면의 조화와 균형감을 느껴보세요.

## ◇ 내면 탐색 질문

- 조화로움을 시각화한 삶의 영역에 대해 생각해 봅니다.
- 매일 이 균형 감각을 유지할 수 있는 방법을 생각해 보세요.

# 42일차. 직관력 강화하기

"직관은 영혼의 속삭임이며, 당신의 길을 부드럽게 안내합니다.
그것은 당신의 진실을 말하니 믿으세요."

◇ **명상 포커스**

안내와 통찰을 얻기 위해 내면의 직관과 연결하고 신뢰합니다,.

◇ **명상 연습**

고요함 찾기: 편안한 장소를 선택하고 눈을 감고 심호흡을 합니다.

직관과 연결하기: 내면에 집중하여 질문을 던지고 직관적인 반응에 귀를 기울여 보세요.

내면의 안내를 신뢰하세요: 떠오르는 감정이나 생각을 직관으로 인식하고 포용하세요.

통찰력을 가지고 돌아오기: 천천히 눈을 뜨고 직관적인 통찰을 떠올려 보세요.

◇ **내면 탐색 질문**

- 명상 중에 얻은 통찰에 대해 적어봅니다.
- 일상에서 직관에 더 귀를 기울이고 신뢰할 수 있는 방법을 생각해 보세요.

# 43일차. 마음챙김 대화

"마음챙김 대화는 인식, 존중, 연민을 가지고 소통하는 것입니다. 이는 마음을 하나로 연결하고 서로의 이해하도록 돕습니다 ."

◇ **명상 포커스**

소통하는 모든 순간에서 마음챙김을 실천하여 깊은 인식과 존중, 연민을 나누는 대화를 지향합니다.

◇ **명상 연습**

마음챙김 대화의 기초:

조용한 장소에서 편안한 자세를 취한 후 눈을 감고 명상을 시작합니다.

대화 중에 상대방의 말에 진정으로 귀 기울이고, 그들의 말 뒤에 있는 감정과 의도를 인식하려고 노력합니다.

상대방의 입장을 이해하고, 그들의 경험과 감정에 공감하려는 마음을 키워갑니다.

연습을 통한 실천:

실제 대화에서 상대방의 말을 듣고 반응하기 전에 잠시 숨을 고르고, 그들의 말이 가진 의미를 심도 있게 고민합니다.

상대방을 존중하고 그들의 입장에서 생각하는 연습을 합니다. 이는 비판보다 이해와 공감을 우선시하는 태도입니다.

## ◇ 내면 탐색 질문

- 오늘의 대화 중 마음챙김을 실천할 수 있었던 순간에 대해 기록합니다. 상대방의 말에 어떻게 귀 기울였는지, 그리고 그것이 대화에 어떤 영향을 미쳤는지 생각해봅니다.

- 상대방을 존중하고 연민을 가진 대화를 통해 관계가 어떻게 변화했는지 탐색해봅니다. 어떤 점이 잘되었고, 앞으로 더 실천할 수 있는 부분은 무엇인지 적어보세요.

# 44일차. 두려움 극복하기

"두려움은 진실에 더 가까이 다가가기 위한 자연스러운 반응입니다. 두려움을 성장의 신호이자 용기를 내야 할 도전으로 받아들이세요."

## ◇ 명상 포커스

두려움을 파악하고 직면하여 두려움을 극복하고 더 강해지는 연습을 합니다.

## ◇ 명상 연습

편안한 공간 찾기: 평화로운 공간에 앉습니다. 심호흡을 하며 몸과 마음을 이완합니다.

두려움 인정하기: 두려움에 대해 생각해 보세요. 판단하지 않고 두려움을 인정하세요.

용기 시각화하기: 용기를 가지고 두려움에 직면하는 모습을 상상해 보세요. 두려움을 극복하는 자신의 모습을 시각화하세요. 새로운 힘을 얻습니다: 두려움에 맞설 준비가 되었다고 느끼며 눈을 크게 뜨세요.

## ◇ 내면 탐색 질문

• 어떤 두려움에 직면했는지, 그리고 그 두려움에 직면했을 때 어떤 기분이 들었는지 생각해 보세요.
• 일상 생활에서 이러한 두려움을 극복하기 위한 실용적인 단계를 생각해 보세요.

# 45일차. 성공 축하하기

"크든 작든 모든 성공은 목표를 향한 한 걸음입니다. 성공은 위대함을 향한 여정의 이정표입니다."

## ◇ 명상 포커스

자신의 업적과 성공을 인정하고 축하합니다

## ◇ 명상 연습

조용한 곳에서 휴식을 취합니다: 편안하게 앉아서 눈을 감고 심호흡을 합니다.

성과에 대해 반성하기: 최근의 성공과 성취에 대해 생각해 보세요. 성취감을 느껴보세요.

축하를 음미하기: 성공의 기분을 만끽하세요. 이러한 성취를 축하하는 모습을 상상해 보세요.

감사로 마무리하기: 눈을 뜨고 감사한 마음과 앞으로의 성공에 대한 동기를 느껴보세요.

## ◇ 내면 탐색 질문

자신의 성취와 그것이 자신에게 어떤 의미인지 적어 보세요. 성공을 인정하는 것이 어떻게 동기를 부여하고 영감을 주는지 생각해 보세요.

# 46일차. 집중력 향상하기

"집중력은 정치, 전쟁, 무역, 즉 모든 인간사 관리의 힘의 비결이다."

## ◇ 명상 포커스

집중력과 정신 집중력을 향상시켜 생산성과 명료성을 높입니다.

## ◇ 명상 연습

집중을 위한 준비: 앉을 조용한 장소를 선택하세요. 긴장을 풀고 고른 호흡으로 시작하세요.

한 지점에 집중하기: 호흡이나 특정 물체 등 집중할 지점을 선택합니다.

집중력 유지하기: 이 지점에 계속 주의를 집중하세요. 주의가 산만해지면 부드럽게 다시 집중하세요.

선명하게 떠오르기: 집중력이 높아지고 정신이 맑아졌다고 느끼면서 서서히 눈을 뜹니다.

## ◇ 내면 탐색 질문

- 명상하는 동안 집중력을 유지한 경험을 기술하세요.
- 집중력 향상이 삶의 다양한 측면에 어떤 도움이 될 수 있는지 생각해 보세요.

# 47일차. 희망 키우기

"희망은 마음의 일출이며, 어둠 속에서도 우리를 인도하고 가능성을 향한 우리의 길을 밝혀줍니다."

## ◇ 명상 포커스

힘든 시간 속에서도 희망의 빛을 잃지 않고, 그 빛을 따라 앞으로 나아가는 낙관적인 태도를 갖습니다.

## ◇ 명상 연습

조용한 곳에서 편안하게 앉거나 누워 눈을 감고 호흡에 집중합니다.

마음속에 희망이 솟아오르는 것을 느끼며, 새벽의 일출을 상상합니다. 어둠을 밝히는 첫 번째 빛줄기가 지평선 너머로 솟아오르는 모습을 그려봅니다.

일출과 함께 자신의 삶에서 희망이 싹트는 부분들을 생각합니다. 어려움 속에서도 피어나는 작은 기쁨이나 성취, 그리고 가능성을 떠올립니다.

희망이 느껴지는 삶의 측면에 감사함을 느끼며, 그 부분들이 어떻게 당신의 삶에 긍정적인 에너지를 불어넣는지 상상합니다.

호흡을 통해 희망과 긍정의 에너지가 마음속 깊이 자리 잡고, 온몸에 퍼져 나가는 것을 느낍니다.

명상을 마치며, '나는 희망이 가득한 삶을 살고 있다'와 같은 긍정적인 확언으로 마무리합니다.

## ◇ 내면 탐색 질문

• 명상을 하면서 느낀 희망의 감각에 대해 세부적으로 기술합니다. 희망은 어떤 형태로 나타났나요? 그리고 그것이 주는 감정은 어떤 것이었나요?

• 일상에서 희망을 키우기 위해 구체적으로 어떤 활동을 할 수 있을지 고민해봅니다. 작은 성공을 기념하거나, 새로운 목표를 설정하는 것 등 희망을 실천할 수 있는 방법을 적어보세요.

• 희망이 당신의 일상적인 상호작용과 관계에 어떤 긍정적인 영향을 미칠 수 있는지 상상해 보세요. 연인, 친구, 가족과의 대화에서 희망을 어떻게 표현하고 공유할 수 있을지 구상해보세요.

# 48일차. 내면의 지혜를 키우기

"내면의 지혜는 우리 영혼의 목소리로, 진리를 속삭이며 인생의 춤에서 우리의 발걸음을 인도합니다."

◇ **명상 포커스**

내면의 지혜와의 깊은 연결을 통한 직관의 신뢰에 초점을 맞춥니다.

◇ **명상 연습**

내면의 지혜 탐색하기:

조용하고 편안한 곳에서 편안한 자세를 취하고 눈을 감습니다.

호흡에 집중하면서 몸과 마음을 이완시키세요.

내면의 지혜가 느껴지는 느낌에 집중하세요. 이는 특별한 통찰, 또는 명확한 직관적 이해로 나타날 수 있습니다.

직관에 귀 기울이기:

질문을 던지고 직관적인 반응을 기다립니다. 예를 들어, 현재 직면한 문제에 대해 내면에 조언을 구하거나, 앞으로 나아가야 할 방향에 대한 가이드를 요청하세요.

나타나는 생각이나 감정, 이미지, 혹은 느낌들을 인식하고 그 의미를 해석해 보세요.

내면으로부터의 안내 묵상하기:

받은 안내나 통찰을 묵상하면서, 이것이 어떻게 당신의 삶에 적용될 수 있는지 상상해보세요.

내면의 지혜가 제시하는 답변이나 방향에 대해 깊이 고민하며, 이를 실생활에 어떻게 통합할 수 있을지 생각해 보세요.

◇ **내면 탐색 질문**

• 명상 중에 내면의 지혜를 통해 얻은 통찰이나 직관적인 메시지에 대해 자세히 적어보세요. 어떤 질문에 대한 답을 찾았나요? 어떤 통찰을 얻었나요?

• 일상에서 내면의 목소리에 더 많이 귀 기울이고, 직관을 키울 수 있는 방법에 대해 생각해 보세요.

• 명상, 산책, 일기 쓰기, 또는 조용한 시간을 갖는 것과 같은 활동이 될 수 있습니다. 어떤 방법이 당신에게 가장 맞는지 고민해 보고, 실천해볼 수 있는 방안을 구체적으로 기술하세요.

# 49일차. 심신 연결 탐구하기

"마음과 몸은 서로 밀접하게 연결되어 있으며, 서로에게 심오한 방식으로 영향을 미칩니다

## ◇ 명상 포커스

마음과 몸의 연결을 인식하고 이를 강화하는 데 집중합니다.

## ◇ 명상 연습

신체와 정신의 조화 시각화:

조용한 장소에서 편안한 자세를 취하고 호흡에 집중합니다.

몸의 각 부위에서 느껴지는 감각을 하나하나 인식하면서, 이에 상응하는 감정을 탐색합니다.

신체의 편안함이 마음의 평온함으로 이어지는 모습을 시각화합니다. 심호흡을 통해 몸과 마음이 어떻게 서로에게 영향을 주고받는지 느껴보세요.

몸과 마음의 공생 관계 탐구:

신체적 상태와 정신적 상태 사이의 상호작용에 대해 생각해 보면서, 이 연결이 개인의 건강과 행복에 어떻게 기여하는지 묵상합니다.

균형 잡힌 식습관, 운동, 충분한 휴식과 같은 신체적 건강을 유지하는 방법과 긍정적 사고, 명상, 스트레스 관리와 같은 정신적 건강을 유지하는 방법 사이의 연결고리를 찾아보세요.

## ◇ 내면 탐색 질문

• 명상하는 동안 느낀 신체적 감각과 정신적 감각 사이의 연결성에 대해 자세히 기술합니다. 어떤 감각이 특히 인상적이었나요? 그리고 그 감각이 정신 상태에 어떤 변화를 가져왔나요?

• 신체와 마음의 연결이 전반적인 웰빙, 특히 일상적인 스트레스 관리나 기분 변화에 어떻게 도움을 주었는지 고민해 보세요. 어떤 실천이 이 연결을 강화하고 웰빙을 향상시키는데 기여했나요? 그리고 앞으로 어떤 실천을 추가하거나 개선할 수 있을지 구체적으로 적어보세요.

# 50일차. 의도를 가지고 생활하기

"의도를 가지고 산다는 것은 의식적으로 자신의 행동을 가장 깊은 가치와 목적에 맞추는 것을 의미합니다."

◇ **명상 포커스**

보다 목적 의식을 지닌 삶을 살기 위해 자신만의 의도를 설정하고, 이를 일상 속에서 실천하도록 노력합니다.

◇ **명상 연습**

핵심 가치와 가치에 대한 의도 설정:

조용한 장소에서 편안한 자세로 앉아 깊은 호흡을 하며 명상을 시작합니다.

자신의 핵심 가치가 무엇인지, 삶에서 어떤 가치를 가꾸고 싶은지 깊이 생각해봅니다.

이러한 가치와 일치하는 의도를 구체적으로 설정합니다. 예를 들어, '매일 감사의 마음을 가지고 하루를 시작한다' 또는 '의사결정을 할 때 정직성을 최우선 가치로 둔다'와 같은 의도를 세울 수 있습니다.

의도의 실천 시각화:

설정한 의도가 실생활에서 어떻게 나타날지를 상상합니다.매일 아침 그 의도를 상기하고, 그것을 실천하는 자신을 시각화합니다. 각각의 행동이 그 의도와 어떻게 일치하는지, 그리고 그것이 삶에 어떤 긍정적인 영향을 미칠지를 명상합니다.

## ◇ 내면 탐색 질문

• 설정한 의도를 기록하고, 그 의도를 설정한 이유와 그것이 자신에게 중요한 이유를 자세히 적어봅니다.

• 설정한 의도를 일상에서 어떻게 구현할 수 있는지, 그리고 그 실천을 통해 기대하는 변화는 무엇인지에 대해 생각해보고 적어봅니다.

• 실천 가능한 작은 습관이나 행동을 구체적으로 계획해보고, 이를 어떻게 일상에 통합할 수 있을지 구상합니다.

# 51일차. 미루는 습관 극복하기

"미루는 습관은 업무 뿐 아니라 삶 자체를 지연시킵니다. 이를 극복하면 생산성과 만족도가 높아집니다."

## ◇ 명상 포커스

미루는 행동의 근본 원인을 파악하고 이를 해결하는 데 집중합니다.

## ◇ 명상 연습:

미루고 있는 작업 분석:

조용한 장소에서 편안한 자세를 취한 후, 눈을 감고 깊은 호흡을 합니다.

미루고 있는 작업이나 할 일을 생각해 보고, 이를 미루는 구체적인 이유를 파악합니다.

그 이유가 현재의 두려움, 완벽주의, 또는 정보 부족 등이라면, 이를 인식하고 해결 방법을 찾아보세요.

성취 시각화:

이제 미루고 있는 작업을 효율적으로 완수하는 자신의 모습을 상상합니다. 완료된 후 느끼게 될 성취감과 만족감을 느껴보세요.

그 작업을 끝낸 이후에 얻게 될 긍정적인 결과들, 예를 들어 시간 관리가 좋아짐, 스트레스 감소, 자신감 증가 등을 시각화합니다.

## ◇ 내면 탐색 질문

● 미루는 이유와 그것이 자신의 일상, 감정, 생산성에 미치는 영향에 대해 세부적으로 적어봅니다.

● 미루는 습관에 대해 자각하는 것에서 시작하여, 그러한 행동을 바꾸기 위한 구체적인 계획을 세워보세요.

● 미루는 습관을 극복하고 일의 우선순위를 설정하는 방법, 동기부여를 강화하는 방법, 더 효율적으로 작업을 완수하는 전략 등을 생각해봅니다.

.

# 52일차. 단순함에서 행복 찾기

"삶의 단순함 속에서 우리는 종종 가장 깊은 기쁨을 발견합니다. 평범한 순간은 비범함으로 가득 차 있으니 그 순간을 받아들이세요."

## ◇ 명상 포커스

소박하고 일상적인 삶의 모습에서 감사하고 기쁨을 찾습니다.

## ◇ 명상 연습

순간에 집중하기: 조용한 공간에 편안하게 앉습니다. 먼저 자신의 호흡에 집중하고 긴장을 풀고 현재에 집중하세요.

단순함에 집중하기: 따뜻한 식사, 숙면, 웃음의 순간 등 최근 자신에게 기쁨을 가져다 준 단순한 순간을 떠올려 보세요.

평범함을 음미하기: 마음속으로 그 순간을 다시 떠올려 보세요. 그 순간들이 가져다 준 만족감과 기쁨에 빠져보세요.

감사하는 마음 키우기: 소소한 기쁨의 가치를 인정하세요. 일상의 경이로움에 대해 감사하는 마음을 기르세요.

단순함을 실천하기: 하루 동안의 소소한 기쁨을 알아차리고 감사하는 마음으로 명상을 마무리하세요.

## ◇ 내면 탐색 질문

● 최근 예상치 못한 기쁨을 가져다준 단순한 순간을 묘사하세요.
일상에서 단순함에 대한 감사를 키울 수 있는 방법을 생각해 보세요.

● 단순함에 대한 감사가 전반적인 웰빙에 미치는 영향을 살펴봅니다.

# 53일차. 장애물 극복하기

"각각의 장애물은 더 큰 힘과 지혜를 얻기 위한 디딤돌입니다.
장애물을 성장과 초월의 기회로 받아들이세요."

## ◇ 명상 포커스

회복력과 결단력으로 인생의 장애물을 인식하고 극복합니다.

## ◇ 명상 연습

중심 잡기 및 준비하기: 편안하게 앉을 수 있는 조용한 장소를 찾습니다. 심호흡을 하며 현재의 순간에 집중합니다.

장애물 파악하기: 최근에 겪은 어려움이나 장애물을 떠올려봅니다. 판단하지 않고 인정하세요.

장애물 극복을 시각화하기: 장애물을 정면으로 마주하고 이를 극복하는 자신의 모습을 상상해 보세요. 자신이 사용하는 전략과 강점을 시각화하세요.

승리감 느끼기: 이러한 도전을 극복한 후 오는 성취감과 성장의 감정을 경험하세요.

강점을 긍정하기: 장애물에 맞서고 극복할 수 있는 자신의 능력을 긍정하며 명상을 마무리하고, 도전할 때마다 더욱 강해지는 자신을 느껴보세요.

## ◇ 내면 탐색 질문

- 최근에 직면한 도전과 그 도전에 어떻게 대처했는지 적어보세요.
- 이러한 장애물을 통해 자신의 강점과 회복탄력성에 대해 무

엇을 배웠는지 생각해 보세요.

- 이러한 도전을 극복한 것이 여러분의 성장과 발전에 어떤 도움이 되었는지 생각해 보세요

# 54일차. 인생의 전환기 수용

"인생의 전환은 성장의 기회입니다. 열린 마음으로 변화를 받아들이면 새로운 시작과 모험으로 이어집니다."

## ◇ 명상 포커스

인생의 전환점을 탐색합니다.

## ◇ 명상 연습

조용한 장소에서 편안하게 앉거나 누워 눈을 감고 깊은 호흡을 합니다.

인생에서 중요했던 변화나 전환점들을 떠올립니다. 이는 이직, 이사, 결혼, 이별 등 크고 작은 변화들이 될 수 있습니다.

각 전환점에서 느꼈던 감정과 생각, 그리고 그 상황을 어떻게 극복하고 적응했는지 생각해봅니다.

회복탄력성과 낙관성의 시각화:

회복탄력성을 가지고 각 전환점을 긍정적으로 받아들이는 자신의 모습을 상상합니다.

변화의 순간에도 꿋꿋이 자신의 길을 걸으며, 새로운 가능성을 향해 나아가는 자신을 그려봅니다.

이러한 변화가 결국 자신에게 어떤 긍정적인 성장과 기회를 가져다줄지 시각화합니다.

## ◇ 내면 탐색 질문

• 과거에 경험한 인생의 전환기와 그때 어떻게 대처했는지 상세히 기록합니다. 어떤 도전이 있었고, 그것을 어떻게 극복했는지, 그리고 그 경험이 현재의 자신에게 어떤 영향을 미쳤는지 생각해봅니다.

• 앞으로 닥칠 수 있는 인생의 전환기를 어떻게 수용하고 준비할지 생각해봅니다.

• 미래의 변화를 받아들임으로써 자신의 삶을 어떻게 더 풍요롭고 만족스럽게 만들 수 있는지에 대한 구체적인 방안을 고민하고 기록합니다.

# 55일차. 혼돈속에서 고요함 찾기

"혼돈 속에서 고요함을 찾으면 명료함과 평화가 찾아옵니다. 고요함은 우리 안에 있는 안식처이며, 언제나 우리가 접근할 수 있는 곳입니다."

## ◇ 명상 포커스

혼란스럽거나 스트레스가 많은 상황에서 내면의 고요함과 평온함을 기르는 데 집중합니다.

## ◇ 명상 연습

앉거나 누울 수 있는 편안하고 조용한 장소를 찾는 것으로 시작하세요.

심호흡으로 몸과 마음을 이완하는 것으로 시작합니다.

혼란스럽거나 스트레스가 많은 환경을 시각화합니다. 바쁜 직장, 혼잡한 공공장소 또는 압도적으로 느껴지는 개인적인 상황이 될 수 있습니다.

이러한 환경을 상상하면서 스트레스나 불안감이 느껴지는지 알아차립니다.

이제 초점을 내면으로 옮기세요. 혼란스러운 상황 속에서 내면의 고요하고 평온한 중심을 찾는다고 상상해 보세요.

이 내면의 안식처를 평화롭고 명료한 장소로 시각화하세요. 더 편안해지고 중심을 잡는 자신을 느껴보세요.

이 내면의 평온함을 붙잡고 천천히 주의를 주변 환경으로 돌려보세요.

## ◇ 내면 탐색 질문

• 혼돈 속에서 고요함을 찾았거나 고요함을 활용할 수 있었던 순간을 떠올려보세요. 그러한 상황과 그 때의 기분을 묘사하세요.

• 일상 생활에서 내면의 평온함을 기르기 위해 사용할 수 있는 전략에 대해 생각해 보세요. 스트레스를 받을 때 어떻게 내면의 안식처에 접근할 수 있나요?

• 내면의 평온함을 유지하기 위해 환경이나 일상에 어떤 변화를 줄 수 있을지 생각해 보세요.

# **56일차.** 자존감 키우기

"자존감은 자신의 가치를 인정하고 감사할 때 커집니다. 자신의
성취와 능력의 정상에 우뚝 서세요."

◇ **명상 포커스**

자존감 및 자기 인식 향상에 중점을 둡니다.

◇ **명상 연습**

자기 성찰을 위한 준비: 조용하고 편안한 공간을 찾습니다. 앉아서 편안하게 심호흡을 하며 마음의 중심을 잡습니다.

강점과 업적에 집중하기: 자신의 개인적인 강점, 업적, 존경하는 자질에 대해 생각해 봅니다.

자신감 시각화하기: 자신감 넘치는 모습으로 당당하게 서 있는 자신의 모습을 상상해 보세요. 이 자신감이 여러분에게서 뿜어져 나오는 모습을 상상해 보세요.

자기 가치 긍정하기: "나는 가치 있다", "나는 능력이 있다", "나는 내가 자랑스럽다"와 같이 자존감을 강화하는 긍정의 말을 조용히 반복합니다.

감사로 마무리하기: 자신의 고유한 자질과 경험에 대해 감사하는 마음으로 명상을 마무리합니다. 자신감과 자신감을 느끼며 눈을 뜨세요.

## ◇ 내면 탐색 질문

- 명상하는 동안 반성했던 자신의 자질과 성취에 대해 적어봅니다.
- 자신의 강점을 인정하는 것이 어떻게 자존감을 높일 수 있는지 생각해 보세요.

- 일상 생활에서 긍정적인 자기 인식을 강화하기 위해 취할 수 있는 행동을 생각해 보세요.

# 57일차. 관계의 깊이를 더하기

"관계는 정원과 같아서 보살핌과 이해, 영양분을 공급해 주어야 번성합니다. 공감과 세심한 배려로 관계를 가꾸세요."

## ◇ 명상 포커스

이해와 공감을 통해 개인적 관계를 강화하고 풍요롭게 합니다.

## ◇ 명상 연습

차분한 환경 조성하기: 조용하고 편안한 장소를 찾습니다. 심호흡을 통해 마음의 중심을 잡습니다.

중요한 관계에 대해 생각해 보기: 인생에서 중요한 관계를 떠올려 보세요. 각 사람이 나에게 어떤 의미인지 생각해 보세요.

이해와 공감 능력 키우기: 각 관계에 대해 상대방의 입장에서 생각해 보세요. 상대방의 기쁨, 도전, 관점을 느껴보세요.

더 강한 유대감 시각화하기: 이러한 이해와 공감을 통해 관계가 더욱 돈독해지고 연결되는 모습을 상상해 보세요.

긍정적인 의도 확인: 관심과 세심함으로 이러한 관계를 발전시키겠다는 의도를 세우며 명상을 마무리합니다.

## ◇ 내면 탐색 질문

- 인간관계를 돌아보면서 느낀 감정과 통찰을 설명하세요.
- 공감과 이해가 이러한 관계를 어떻게 향상시킬 수 있는지 생각해 보세요.
- 관계를 강화하고 심화하기 위해 취할 수 있는 구체적인 행동을 생각해 보세요.

# 58일차. 고독을 받아들기

"고독 속에서 우리는 우리 자신을 만납니다. 고독은 우리의 생각과 감정, 내면의 깊은 곳을 탐구할 수 있는 신성한 공간입니다."

## ◇ 명상 포커스

개인적인 성장과 자기 인식을 위한 고독의 풍요로움과 가치를 발견하는데 집중합니다.

## ◇ 명상 연습

고요함 찾기: 혼자 있을 수 있는 평화로운 장소를 찾습니다. 편안하게 앉아 눈을 감아 방해 요소를 최소화합니다.

고독에 호흡하기: 숨을 쉴 때마다 혼자임을 더 편안하게 느껴보세요. 주변의 고요함을 받아들입니다.

내면을 성찰하기: 이 시간을 이용해 자신의 생각, 감정, 열망에 대해 생각해 보세요. 내면의 목소리에 귀를 기울이고 욕망, 두려움, 기쁨에 대해 말하는 내용을 들어보세요.

혼자 있는 시간 소중히 하기: 자신을 더 잘 이해하는 데 있어 고독의 중요성을 인식합니다. 이 순간을 깊은 개인적 통찰을 얻을 수 있는 기회로 인식하세요.

상쾌한 기분으로 일어나기: 명상을 부드럽게 마무리합니다. 상쾌한 기분을 느끼며 눈을 뜨고 내면의 자아와 더욱 연결됩니다.

## ◇ 내면 탐색 질문

- 명상하는 동안 고독을 느꼈던 경험에 대해 써보세요. 자신에 대해 무엇을 발견했나요?

- 규칙적인 고독의 순간이 삶에 어떤 도움이 될 수 있는지 생각해 보세요.

- 일상에 혼자 있는 시간을 더 많이 확보할 수 있는 방법을 생각해 보세요.

# 59일차. 개인적 경계를 지키기

"개인적인 경계는 우리의 웰빙에 필수적입니다. 경계를 존중하는 것은 더 건강한 관계와 자존감으로 이어집니다."

## ◇ 명상 포커스

개인적인 경계를 이해하고 정신적, 정서적 웰빙을 위해 경계를 유지하는 방법을 배우는 것입니다.

## ◇ 명상 연습

편안한 장소 선정: 조용하고 편안한 장소를 찾아 앉는 것으로 시작하세요.

심호흡을 통해 마음의 중심을 잡고 반성적인 생각을 할 수 있도록 마음을 준비합니다.

개인적 경계에 대해 생각하기: 현재 자신의 개인적인 경계에 대해 생각해 봅니다. 삶의 영역에서 이러한 경계가 잘 확립된 영역과 경계가 약하거나 자주 중심을 잃고 흔들리는 영역이 있는지 생각해 보세요.

시각화 하기: 이러한 경계를 지키는 자신의 모습을 시각화합니다. 자신이 원하는 바를 자신감 있고 정중하게 주장하는 시나리오를 상상해 보세요.

경계를 지킬 때 느끼는 감정을 떠올려 보세요. 이러한 관행에서 오는 권한 부여와 자존감의 느낌을 인식합니다.

## ◇ 내면 탐색 질문

• 최근 자신의 경계가 존중되거나 침해된 상황에 대해 적어 보세요. 이러한 경험을 통해 어떤 기분이 들었나요?

- 현재 설정한 경계의 효과에 대해 생각해 보세요. 더 확고하거나 더 유연하게 설정해야 할 영역이 있나요?
- 경계를 강화하고 소통할 수 있는 실행 가능한 방법을 계획하세요. 단호한 의사소통을 위한 기술과 경계를 넘나드는 상황을 처리하는 방법을 생각해 보세요.

# 60일차. 자연의 지혜 탐구하기

"자연은 시대를 초월한 지혜와 깊은 평화를 품고 있습니다. 그 품 안에서 우리는 명료함과 삶의 리듬에 대한 연결을 발견합니다.

## ◇ 명상 포커스

자연과 연결하여 통찰력, 평화, 세상과의 조화로운 느낌을 얻으세요.

## ◇ 명상 연습

자연에 몰입하기: 가능하면 자연 속에서 평화로운 장소를 찾아 명상을 하세요. 실내에 있다면 마음을 울리는 자연 환경을 상상해 보세요.

자연의 본질 흡수하기: 주변에서 들리는 자연의 소리, 광경, 감각에 집중하거나 시각화하세요. 지구와 지구가 지탱하는 생명과의 연결을 느껴보세요.

자연의 교훈 묵상하기: 회복력, 인내심, 균형과 조화의 중요성 등 자연이 주는 교훈을 생각해 보세요.

자연의 평화 포용하기: 자연의 평온함이 내 존재에 스며들도록 허용하세요. 온몸을 감싸는 평화와 명료함을 느껴보세요.

감사로 마무리하기: 자연의 아름다움과 지혜에 감사하는 마음으로 명상을 마무리하세요. 부드럽게 현재에 다시 집중하세요.

## ◇ 내면 탐색 질문

- 명상하는 동안 자연과 교감한 경험에 대해 적어봅니다.
- 자연이 내게 가르쳐주는 것이 무엇인지, 그리고 그 지혜를 내

• 삶에 어떻게 적용할 수 있는지 생각해 보세요.

일상에서 자연과 긴밀한 관계를 유지할 수 있는 방법을 생각해 보세요.

# 61일차. 커뮤니케이션 강화하기

"마음챙김 커뮤니케이션은 공감, 명확성, 진정성을 가지고 다른 사람들과 소통하는 기술입니다. 그것은 말하는 것만큼이나 듣는 것에 관한 것입니다."

## ◇ 명상 포커스

보다 의미 있는 상호작용을 위해 언어적, 비언어적 의사소통에서 마음챙김을 개발합니다.

## ◇ 명상 연습

마음챙김을 위한 준비하기: 앉을 조용한 장소를 선택합니다. 심호흡으로 시작하여 마음의 중심을 잡고 마음을 비웁니다.

커뮤니케이션에 대해 성찰하기: 최근의 대화에 대해 생각해 봅니다. 상대방의 말을 경청하고 반응할 때 얼마나 마음챙김을 발휘했나요? 말과 몸짓이 조화를 이루고 있었나요?

마음챙김 경청 연습하기: 대화에 완전히 집중하고, 적극적으로 경청하며, 사려 깊고 세심하게 반응하는 자신의 모습을 상상해 보세요.

마음챙김으로 표현하기: 정중하고 명확하며 공감을 불러일으키는 단어를 선택해 의도를 가지고 말하는 모습을 상상해 보세요.

의도를 가지고 마무리하기: 이 마음챙김 인식을 일상적인 대화에 적용하는 것을 목표로 명상을 마무리합니다.

## ◇ 내면 탐색 질문

- 최근의 대화를 떠올리며 마음챙김이 어떻게 상호작용을 개선할 수 있었는지 생각해 보세요.
- 의사소통에서 마음챙김을 실천할 때의 어려움과 이점에 대해 적어봅니다.
- 앞으로의 대화, 특히 어렵거나 감정적인 토론에서 마음챙김을 유지하기 위한 전략을 생각해 보세요.

# 62일차. 제한적 신념 극복하기

"제한적인 신념은 우리의 잠재력을 가로막는 장벽입니다.

이를 인식하고 극복하면 성장과 성공의 길을 열 수 있습니다."

◇ **명상 포커스**

자신의 잠재력을 제한하는 신념을 파악하고 자신의 성장을 제한하고 성공을 방해하는 생각을 인식하고 해결합니다.

◇ **명상 연습**

호흡에 집중하기: 조용하고 편안한 장소를 찾아 앉아서 호흡에 집중합니다.

제한적 신념 알아차리기: 자신이 가지고 있는 특정한 제한적인 믿음을 생각하는 것으로 시작합니다. 이는 자존감, 능력, 두려움 또는 과거 경험과 관련이 있을 수 있습니다.
이러한 믿음이 자신의 결정, 감정, 인생 경로에 어떤 영향을 미쳤는지 인정하세요.

한계가 없는 자신을 시각화하기: 이제 이러한 제한적인 믿음을 극복하는 자신의 모습을 상상해 보세요. 이 믿음과 반대로 행동하여 성공하는 시나리오를 상상해 보세요.

무한한 자유의 힘 느끼기: 이러한 제약에서 벗어나는 데서 오는 해방감과 잠재력을 느껴보세요. 이 새로운 자유가 가져다주는 힘을 받아들이세요.

◇ **내면 탐색 질문**

• 자신이 발견한 특정한 제한적 신념과 그 신념이 삶의 다양한 측면에 어떤 영향을 미쳤는지 설명하세요. 그와 관련된 감정과 경험은 무엇인가요?

- 이 신념의 기원에 대해 생각해 보세요. 언제부터 영향을 받기 시작했으며, 어떤 경험을 통해 강화되었나요?
- 이 신념에 도전하고 변화시킬 수 있는 실행 가능한 단계가 포함된 계획을 세웁니다. 여기에는 긍정, 새로운 행동, 지원 구하기, 한계를 느끼는 영역에서 스스로 교육하기 등이 포함될 수 있습니다.

이러한 신념이 더 이상 발목을 잡지 않는 미래를 상상해 보세요. 그 미래는 어떤 모습이고 어떤 느낌일까요?

# 63일차. 일과 삶의 균형 잡기

"일과 삶의 균형은 시간을 균등하게 나누는 것이 아니라 번아 웃을 방지하고 웰빙을 증진하는 조화를 찾는 것입니다."

## ◇ 명상 포커스

직업적 책임과 개인 생활 사이의 건강한 균형을 확립하고 유지합니다.

## ◇ 명상 연습

균형을 위한 환경 설정하기: 방해받지 않고 앉을 수 있는 조용한 장소를 찾습니다. 깊고 차분한 호흡으로 시작하여 마음의 중심을 잡으세요.

현재 균형에 대해 생각해 보기: 현재 일과 삶의 균형에 대해 생각해 보세요. 업무에 투자하는 시간과 에너지와 개인 생활에 투자하는 시간 및 에너지에 대해 어떻게 생각하시나요?

이상적인 균형 시각화하기: 업무와 개인 활동 사이에 완벽한 균형을 이루는 전형적인 하루를 상상해 보세요. 어떤 모습일까요? 기분이 어떤가요?

균형을 위한 변화 파악하기: 이상적인 균형에 더 가까워지기 위해 일상에서 할 수 있는 작은 조정을 생각해 보세요.
의도를 가지고 마무리하기: 일과 삶의 균형을 개선하기 위해 사소한 것이라도 이러한 변화를 실천하겠다는 다짐으로 명상을 마무리하세요.

## ◇ 내면 탐색 질문

● 현재 일과 삶의 균형과 그에 대해 어떻게 느끼는지 설명하세요.

● 명상 중에 상상했던 변화와 그 변화를 어떻게 실행할 수 있을지 생각해 보세요.

● 일과 삶의 균형이 개선되면 전반적인 웰빙과 행복에 미칠 수 있는 영향에 대해 적어 보세요.

# 64일차. 나이 듦을 받아들이기

"노화는 단순한 시간의 흐름이 아니라 성장과 지혜의 여정입니다. 인생의 자연스러운 일부로 우아하게 받아들이세요."

## ◇ 명상 포커스

노화를 성장과 지혜의 기회로 보고 노화 과정에서 아름다움을 받아들이고 찾습니다.

## ◇ 명상 연습

편안함과 평온함 찾기: 평화로운 곳에 앉아 긴장을 풀고 호흡에 집중하여 현재에 집중하세요.

노화에 대한 성찰: 자신의 노화 여정을 생각해 보세요. 수년에 걸쳐 얻은 경험, 지식, 지혜를 인식합니다.

우아한 노화 시각화하기: 변화를 수용하고 긍정적으로 받아들이며 우아하게 나이 드는 자신의 모습을 상상해 보세요. 지혜와 경험으로 가득 찬 미래의 자신을 상상해 보세요.

인생의 교훈을 인정하기: 노화가 가르쳐 주었거나 가르쳐 줄 소중한 인생의 교훈에 대해 생각해 보세요. 이를 노화 과정의 선물로 받아들입니다.

감사로 마무리하기: 지금까지 살아온 인생과 아직 경험하지 못한 인생에 대해 감사하는 마음으로 명상을 마무리하세요.

## ◇ 내면 탐색 질문

- 나이 듦에 대한 생각과 느낌, 그리고 그것이 나에게 어떤 의미인지에 대해 적어봅니다.
- 어떻게 하면 우아하고 긍정적으로 노화를 받아들일 수 있을

지 생각해 보세요.

- 노화가 내 삶을 풍요롭게 했거나 풍요롭게 할 방법을 생각해 보세요.

# 65일차. 인생의 여정 받아들임

"인생은 우여곡절이 있는 여정입니다. 오르막길이든 내리막길이든 한 걸음 한 걸음을 받아들이면 그 여정은 가치 있는 여정이 됩니다."

## ◇ 명상 포커스

모든 경험, 도전, 승리를 포함한 인생의 여정을 포용하고 소중히 여깁니다.

## ◇ 명상 연습

중심잡기: 편안하게 앉아서 내면에 집중할 수 있는 조용한 공간을 찾습니다.
심호흡을 통해 중심을 잡는 것으로 시작합니다.

삶을 돌아보기: 지금까지 살아온 인생의 여정을 되돌아봅니다. 직면했던 어려움과 축하했던 승리에 대해 생각해 봅니다.

자신의 삶을 길이나 길로 시각화합니다. 가파른 오르막길, 완만한 길, 내리막길 등 다양한 지형을 인식하면서 이 길을 걷는다고 상상해 보세요.

감사하는 마음 느끼기: 이 상상 속 여정에서 한 걸음 한 걸음 내딛을 때마다 감사하는 마음을 느껴보세요. 여정의 모든 단계가 지금의 나를 만드는 데 기여했음을 인식하세요.
이 시각화를 계속하면서 각 순간과 경험에 대한 감사의 느낌에 집중하세요.

인생의 여정 받아들이고 인정하기: 어려운 시기와 쉬운 시기를 통해 얻은 교훈, 얻은 힘, 회복탄력성을 인정하세요.
어렵든 쉽든 각 단계가 소중하다는 것을 알고 이 길의 현재 위치에 대해 평화와 수용감을 느껴보세요.

## ◇ 내면 탐색 질문

•인생의 여정에서 중요한 순간에 대해 써보세요. 승리의 순간, 고난의 순간, 행복의 순간, 슬픔의 순간이 될 수 있습니다. 이러한 순간과 그에 얽힌 감정을 묘사하세요.

• 이러한 중요한 경험들이 현재의 나를 어떻게 형성했는지 생각해 보세요.

그 결과 회복탄력성, 연민, 지혜, 강인함 등 어떤 자질을 갖추게 되었는지 생각해 보세요.

이러한 경험을 통해 인생과 자신에 대해 얻은 통찰력에 대해 써보세요.

# 66일차. 개인적 성장 기념하기

"우리 여정의 모든 단계는 우리의 성장에 기여합니다. 이러한 성장을 축하하고 감사하는 것이 도전과 성공, 때로는 좌절까지도 지금의 위치에 도달하는데 기여했음을 인식합니다."

## ◇ 명상 포커스

66일간의명상 여정을 통해 자신의 개인적인 성장과 발전을 되돌아보고 축하하며, 이 시간을 통해 자신이 이룬 발전과 그 발전이 여러분을 어떻게 변화시켰는지 상기하기.

## ◇ 명상 연습

깊고 느린 호흡하기: 방해받지 않고 명상할 수 있는 조용하고 편안한 공간을 찾습니다.
깊고 느린 호흡으로 시작하여 마음의 중심을 잡고 마음을 차분하게 가라앉힙니다.

자신을 돌아보기: 이 명상 프로그램을 통해 자신의 여정을 되돌아봅니다. 어디서부터 시작해서 지금 어디에 와 있는지 생각해 보세요.

인생의 여정 돌아보고 감사하기: 직면했던 어려움과 이를 어떻게 극복했는지 떠올려보세요. 이러한 경험에서 비롯된 성장을 인정합니다.
이 기간 동안 성취한 크고 작은 업적을 생각해 봅니다.
이 여정과 자신이 경험한 성장에 대해 감사함을 느껴보세요.

## ◇ 내면 탐색 질문

66일 동안 경험한 가장 중요한 변화에 대해 자세히 적어 보세요. 마음가짐, 정서적 웰빙, 습관, 인생관 등의 변화가 있을 수 있습니다.

- 이러한 변화가 여러분의 삶에 어떤 영향을 미쳤는지 생각해 보세요. 나 자신에 대해 무엇을 배웠나요?
- 이러한 변화가 앞으로 나아갈 길에 어떤 영향을 미칠지 생각해 보세요. 다음 단계는 무엇이며   일상 생활에 어떻게 계속 적용할 것인지 생각해보세요.

# 마치며

66일간의 여정을 완수한 여러분께 진심으로 축하의 말씀을 전합니다. 이 멋진 여정을 통해 여러분은 마음의 신대륙을 발견하고, 자신만의 독특한 방식으로 성장하고 나아갔습니다.

이 순간은 단순히 목표에 도달했다는 것을 넘어, 자신의 내면과 더 깊은 연결을 맺었다는 의미를 가지고 있습니다.

66일 동안 여러분은 각자의 속도로, 때로는 조심스럽게, 때로는 용감하게 내면을 탐험했습니다.

이 과정 속에서 어떤 날은 조용한 성찰의 시간이었고, 어떤 날은 새로운 발견으로 가득 찼을 것입니다. 각 단계마다 여러분은 자신의 감정과 생각에 대해 더 잘 이해하게 되었고, 이를 바탕으로 더 강하고 유연한 마음을 가꿀 수 있었습니다.

이제 여러분은 마음의 신대륙, 즉 알려지지 않은 자신의 내면과 마주하게 되었습니다. 여기서 중요한 것은 이 여정이 끝이 아니라 새로운 시작이라는 점입니다. 여러분은 이제 자신의 감정과 생각을 더 잘 다룰 수 있는 능력을 갖추었으며, 앞으로 마주할 삶의 도전과 기회에 대해 더 잘 대비할 수 있게 되었습니다.

앞으로의 여정에서도 여러분은 계속해서 성장하고 발전할 것입니다. 마음의 신대륙을 탐험하는 것은 한번에 끝나는 여행이 아닙니다. 그것은 계속되는 과정이며, 매일매일 새로운 발견과 성찰을 가져다 줄 것입니다. 여러분의 내면 여행은 계속될 것이며, 그 과정 속에서 더욱 풍부하고 의미 있는 삶을 살아갈 수 있을 것입니다.

여러분 각자가 이 여정을 통해 발견한 것들을 삶 속에서 실천하며, 자신만의 방식으로 세상과 소통하길 바랍니다. 여러분의 내면에는 무한한 가능성이 존재하며, 이제 그 가능성을 현실로 만들 차례입니다.

마지막으로, 이 66일간의 여정을 함께 해주신 모든 분들께 감사의 마음을 전합니다. 여러분의 용기와 헌신, 그리고 이 여정을 통해 이루어낸 변화는 매우 소중합니다. 계속해서 여러분의 마음의 신대륙을 탐험하며, 더 나은 자신으로 거듭나는 여정을 이어 나가시길 응원합니다.